검토 후기

검토에 적극 참여하신 많은 선생님들의 구체적이고 세밀한 지적 사항을
가능한한 교재 내용에 모두 반영하려고 노력하였습니다.
그리고 특별히 본교재의 전체적인 내용과 관련하여 질책과 함께 힘이 되는 의견들을 보내주셨는데
내용의 일부를 검토 후기로 정리하였습니다.

■ 쉬운 문항을 통해 반복학습을 할 수 있는 교재네요. 문제 오류 및 오타가 없고 개념 정리 부분에서 보충할 내용도 없어 보입니다. 약간 난이도가 있는 문제가 추가되는 것도 좋을 듯합니다.
　　　　　　　　　　　　　　　－ 대학학원 **전진수** 선생님

■ 어려운 문제는 없습니다. 이 책을 성실하게 풀고 틀린 문제를 고친다면 학교시험에서 어느 정도의 점수는 받을 것 같습니다. 각 학년별로 개념과 기초 부분에서 유용한 교재라고 생각합니다. 선행용 또는 기초 다지기용으로 좋은 교재입니다.
　　　　　　　　　　　　　－ 매쓰루션학원 **한지경** 선생님

■ 다양한 연습에 좋은 교재입니다. 저희 학원에서 채택하여 많이 활용하고 싶습니다. 좋은 교재 연구를 위해 노력하심에 감사드립니다.
　　　　　　　　　　　　　－ 운암해법수학 **유희옥** 선생님

■ 기본 문항들로만 구성된 문제집이네요. 매우 쉽게 잘 되어 있습니다. 학생들이 쉽게 따라 할 수 있을 것 같습니다.
　　　　　　　　　　　　－ 수학분석공략학원 **장광덕** 선생님

■ 체크된 부분에 아이들이 어려워하고 자주 나오는 그림은 한 번 더 넣으면 정리하는 데 좋을 듯합니다. 문제와 해답은 완벽하네요.
　　　　　　　　　　　－ M&S Academy **오미진** 선생님

■ 난이도가 쉬운 것부터 연산드릴 교재로 만들어져서 약간 기초가 부족한 아이들에게 잘 맞는 교재인 것 같습니다.
　　　　　　　　　　　　　－ 세교공부방 **김명덕** 선생님

■ 내용이 어렵지 않고 반복 학습이 가능하여 선행수업과 연산연습에 좋을 듯합니다. 문제가 적당하게 배치되어 있네요.
　　　　　　　　　　　　　－ 심민정학원 **심민정** 선생님

■ 연산 문제들만 있어서 수학을 어려워하는 학생들에게 따로 더 공부시키기에 좋습니다. 매일 반복학습을 시키기에 좋을 듯합니다.
　　　　　　　　　　　　　－ 청명학원 **신동환** 선생님

■ 기본 개념을 잡고 술술 풀리는 책으로 좋아 보입니다. 수학 연산 부분에 대한 자신감을 심어줄 수 있을 것 같습니다.
　　　　　　　　　　　－ 김정렬 333학원 **김정렬** 선생님

■ 편집, 색상 모두 좋고, 문제 배열도 적절하고 난이도도 적절해 보입니다.
　　　　　　　　　　　　　－ 막강학원 **박정수** 선생님

■ 기본 학습 개념을 이용해서 반복 학습을 할 수 있는 자료가 많아서 실전에서도 활용도가 높으리라 생각됩니다. 중단원(기초 개념 유형)과 대단원 테스트(기출 유형)를 연계시켜 줄 수 있는 학습과정이 진행된다면 교재학습 성취도 역시 변화를 예상해 봅니다.
　　　　　　　　　　　　　－ 우리학원 **김지송** 선생님

■ 아이들이 도형을 어려워하는데 같은 유형이 반복되니 잘 못하는 학생들에게 도움이 될 것 같습니다. 다만 문제에 대한 설명이 더 상세하면 좋겠습니다.　　－ SM학원 **신문교** 선생님

■ 문제들이 쉽고 평이해서 선행이나 기초가 부족한 학생들의 학습 향상에 큰 도움이 되리라 생각합니다.
　　　　　　　　　　　　　－ 와이즈만 **이재필** 선생님

■ 기본적인 개념 설명과 충분한 연습을 할 수 있어서 좋겠습니다. 빠르고 정확한 계산 능력을 키울 수 있을 것 같습니다.
　　　　　　　　　　　　　－ 하나로수학 **박애심** 선생님

■ 기본 문제이지만 꼭 알고 확인해야 할 내용을 포함하고 있어서 좋은 교재네요. 중단원 테스트는 기본 사항을, 대단원 테스트는 종합적인 사고 문제가 있어서 좋습니다.
　　　　　　　　　　　　　－ SM파스칼 **김상민** 선생님

Learning
is a bitter root,
but it **bears** a sweet fruit

이 책에 도움을 주신 분들

연산으로 마스터하는

중학 수학 3 (하)

구성과 특징

 **연산으로 마스터하는 중학 수학의 특징**

01 스스로 원리를 터득하는 개념 완성 시스템

· 풀이 과정을 채워 가면서 스스로 수학의 연산 원리를 이해할 수 있습니다.

· 쉽고 재미있는 문제들을 통해 개념을 이해하고 다양한 문제 접근 방법으로
어떠한 문제도 스스로 해결할 수 있습니다.

· 주제별, 유형별로 묻는 문제를 반복하여 풀면서 기본 원리를 완성할 수 있습니다.

02 연산 드릴을 통한 계산력 향상 시스템

· 탄탄한 기본 연산력이 수학 실력 향상의 밑거름이 될 수 있습니다.

· 매일 반복하는 연산 학습으로 빠르고 정확한 계산 능력을 키워 줍니다.

· 수학의 기초인 연산 부분을 강화하여 자신감을 키워 줍니다.

03 교과 단원별로 구성한 보충 학습 시스템

· 단원별, 유형별 다양한 문제 접근 방법으로 부족한 부분을
집중 학습할 수 있습니다.

연산으로 마스터하는 중학 수학의 구성

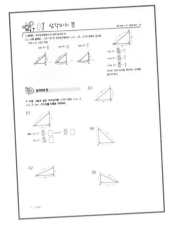

개념정리

핵심 내용정리는 단원에서 꼭 알아야 하는 기본적인 개념과 원리를 창(Window) 형태로 이미지화하여 제시함으로 이해하기 쉽고, 기억이 잘됩니다.

개념 적용/연산 반복 훈련

기본 원리를 적용하여 같은 유형의 문제를 반복적으로, 스몰스텝으로 단계화하여 풀게함으로써 실력을 키울 수 있습니다. 직접 풀이 과정을 쓰면서 개념을 익힐 수 있도록 하세요. 쉽고 재미있는 문제들을 통하여 수학에 대한 자신감을 가질 수 있습니다.

TIP

문제 풀이에 필요한 도움말을 해당하는 문항의 하단에 제시하여 첨삭지도합니다.

학교시험 필수예제

연산 반복 훈련을 통해 터득한 개념과 원리를 확인 합니다. 각 유형별로 배운 내용을 정리하고 스스로 문제를 해결함으로써 학교 시험에 대비할 수 있습니다.

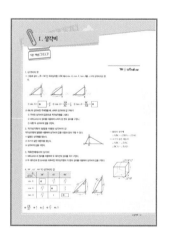

대단원 기본 개념 CHECK

문장력 강화와 서술형 대비를 위해 문장 속 네모박스 채우기로 개념을 정리하며, 부분적으로 공부했던 내용들을 한데 모아 전체적으로 조감할 수 있게하여 단원을 체계적, 종합적으로 마무리하게합니다.

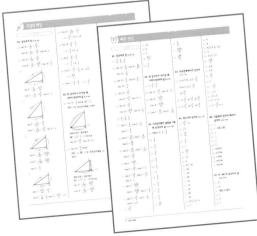

빠른정답 & 친절한 해설

가독성을 고려하여 빠른 정답을 세로 배치하여 빠르게 정답을 체크할 수 있도록 구성하였습니다.
또한 기본문항들 중에서 자세한 해설이 필요한 문항들은 학생들 스스로 해설을 보고 문제를 해결할 수 있도록 친절하게 풀이하였습니다.

이 책은 수학의 가장 기본이 되는 연산 능력뿐 아니라 확실하게 개념을 잡을 수 있도록 하여 수학의 기본 실력이 향상 되도록 하였습니다.
다음과 같이 본 책을 학습하면 효과를 극대화 할 수 있습니다.

01. 개념, 연산 원리 이해

글과 수식으로 표현된 개념을 창(Window)을 통해 시각적으로 표현하여 직관적으로 개념을 익히고, 구체적인 예시와 함께 연산 원리를 이해합니다.

02. 연산 반복 훈련

동일한 주제의 문제를 반복하여 손으로 풀어 봄으로써 풀이 방법을 익힙니다. 유형별로 문제를 제시하여 약한 유형이 무엇인지 파악할 수 있어 약한 부분에 대한 집중 학습을 합니다.

03. 학교시험 대비

연산 반복 훈련을 통해 개념과 원리를 터득하고, 학교시험 필수 예제 문항을 통해 실제 학교 시험 문제에 적용하여 풀어봅니다. 또한 교과서 수준의 개념을 한눈에 확인 할 수 있도록 빈칸 채우기 형식의 문제로 대단원 기본 개념 CHECK를 통해 전체적인 개념과 흐름을 확인합니다.

차례

카메라용 GPS 수신기
사직 찍은 장소를 정확히 기록하기 위한 용도로 사용된다.

삼각비를 이용한 측량기기
다리나 도로의 건설에서 직접 재기 어려운 거리와 높이를 측량기기를 사용하여 재고 있다.

에베레스트 산
삼각비를 이용한 측량 사업의 책임자였던 조지 에베레스트의 이름을 따서 지어졌다.

어떻게?

20000km 상공에 떠 있는 위성에서
지구상의 모든 물체를 정확히 감시할 수 있을까?
그 답은 바로

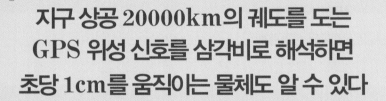

지구 상공 20000km의 궤도를 도는
GPS 위성 신호를 삼각비로 해석하면
초당 1cm를 움직이는 물체도 알 수 있다

삼각비는 고대 이집트나 바빌로니아에서 천문학, 점성술, 토지 측량 등에 사용되었다. 그리스의 아리스타쿠스(B.C. 310~230)는 삼각비를 이용하여 지구에서 태양까지의 거리가 지구에서 달까지의 거리의 18×20배(사실은 약 400배)가 된다는 것을 알아내었다. 또, 피라미드 건축에도 일정한 경사면을 유지하기 위해 삼각비가 사용되어졌을 것으로 알려져 있다.

현대에는 첨단 레이더나 무인 항법 장치, 직접 잴 수 없는 거리 등 다양한 분야에 삼각비가 활용되고 있다. 주변에서 흔히 볼 수 있는 내비게이션(차량용, 휴대폰)은 미국 국방성에 의하여 설치된 GPS(Global Positioning System) 위성의 신호를 받아서 작동이 된다. GPS는 1973년 지구 궤도를 도는 24기의 위성에서 무선 신호를 발사하는 새로운 항법유도장치로 계획된 것으로, 전투기나 탱크에서 발사되는 미사일을 목표물로 정확히 유도하는 것이 목적이었다. GPS는 휴대폰 크기의 단말기 하나면 지구상의 어떤 물체라도 그것의 정확한 위치와 이동속도를 측정할 수 있는 가공할 위력을 지니고 있다. 이와 같이 삼각비는 비행기나 선박의 자동 항법 장치, 가까운 미래에 상용화될 무인 자동차 등에 활용되고 있다.

I. 삼각비

학습 목표

1. 삼각비의 뜻을 알고, 간단한 삼각비의 값을 구할 수 있다.

2. 삼각비를 활용하여 다양한 실생활 문제를 해결할 수 있다.

 **01 삼각비의 뜻**

1. **삼각비** : 직각삼각형에서 두 변의 길이의 비

2. **∠A의 삼각비** : $\angle B = 90°$인 직각삼각형에서 $\angle A$, $\angle B$, $\angle C$의 대변의 길이를 각각 a, b, c라고 하면

$$\sin A = \frac{a}{b} \qquad \cos A = \frac{c}{b} \qquad \tan A = \frac{a}{c}$$

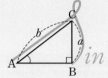 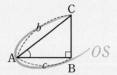

비교 그림과 같은 삼각형 ABC에서

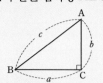

- $\sin A = \dfrac{\overline{BC}}{\overline{AB}} = \dfrac{a}{c}$

- $\cos A = \dfrac{\overline{AC}}{\overline{AB}} = \dfrac{b}{c}$

- $\tan A = \dfrac{\overline{BC}}{\overline{AC}} = \dfrac{a}{b}$

이므로 각의 위치를 확인하고 문제를 풀어야 한다.

유형 001 삼각비의 뜻

※ 다음 그림과 같은 직각삼각형 ABC에서 $\sin A$, $\cos A$, $\tan A$의 값을 차례로 구하여라.

01

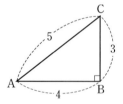

|해설| $\sin A = \dfrac{\overline{BC}}{\overline{AC}} = \boxed{}$, $\cos A = \dfrac{\overline{AB}}{\overline{AC}} = \boxed{}$

$\tan A = \dfrac{\overline{BC}}{\overline{AB}} = \boxed{}$

02

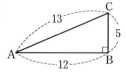

03

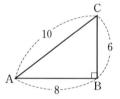

04

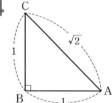

05

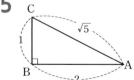

※ 다음 그림과 같은 직각삼각형 ABC에서 sin C, cos C, tan C의 값을 차례로 구하여라.

06

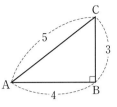

|해설| $\sin C = \dfrac{\overline{AB}}{\overline{AC}} = \boxed{}$, $\cos C = \dfrac{\overline{BC}}{\overline{AC}} = \boxed{}$

$\tan C = \dfrac{\overline{AB}}{\overline{BC}} = \boxed{}$

07

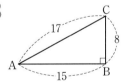

08

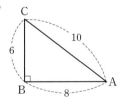

09

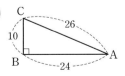

10

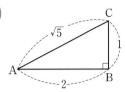

11

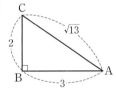

12

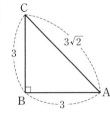

13

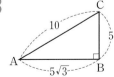

유형 002 삼각비를 이용한 삼각형의 변의 길이 구하기

※ 삼각비의 값과 직각삼각형의 한 변의 길이가 다음과 같을 때, x의 값을 구하여라.

14 $\sin A = \dfrac{\sqrt{2}}{10}$

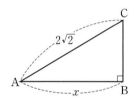

|해설| $\sin A = \dfrac{\overline{BC}}{\overline{AC}} = \dfrac{x}{5} = \dfrac{\sqrt{2}}{10}$

$\therefore x = \dfrac{\sqrt{2}}{10} \times 5 = \boxed{}$

15 $\cos A = \dfrac{\sqrt{3}}{2}$

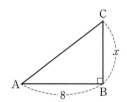

16 $\tan A = \dfrac{3}{4}$

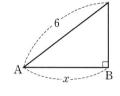

17 $\sin C = \dfrac{2}{3}$

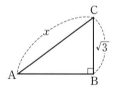

18 $\cos C = \dfrac{3}{4}$

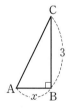

19 $\tan C = \dfrac{1}{2}$

사인, 코사인, 탄젠트 중 하나의 삼각비만 주어졌을 때, 나머지 삼각비의 값은 다음과 같이 구한다.
① 주어진 삼각비의 값만으로 직각삼각형을 그린다.
② 피타고라스의 정리를 이용하여 나머지 한 변의 길이를 구한다.
③ 다른 두 삼각비의 값을 구한다.

예 $\triangle ABC$에서 $\sin B = \dfrac{\sqrt{2}}{2}$ 일 때,

$\sin B = \dfrac{\overline{AC}}{\overline{AB}} = \dfrac{\sqrt{2}}{2}$ 이므로

①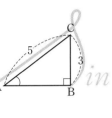

② $\overline{AB}^2 = \overline{AC}^2 + \overline{BC}^2$ 이므로
$4 = (\sqrt{2})^2 + \overline{BC}^2$
$\therefore \overline{BC} = \sqrt{2}$

③ $\cos B = \dfrac{\overline{BC}}{\overline{AB}} = \dfrac{\sqrt{2}}{2}$, $\tan B = \dfrac{\overline{AC}}{\overline{BC}} = \dfrac{\sqrt{2}}{\sqrt{2}} = 1$

 003 한 삼각비가 주어질 때, 나머지 삼각비의 값

※ $\angle B = 90°$인 직각삼각형 ABC에서 다음 값을 직각삼각형을 그려서 구하여라.

01 $\sin A = \dfrac{3}{5}$일 때, $\cos A$, $\tan A$

|해설| $\sin A = \dfrac{3}{5}$이므로 $\overline{AC} = 5$, $\overline{BC} = 3$인 직각삼각형을 그린다.
피타고라스의 정리에서
$\overline{AB} = \sqrt{5^2 - 3^2} = \boxed{}$이므로
$\cos A = \dfrac{\overline{AB}}{\overline{AC}} = \boxed{}$
$\tan A = \dfrac{\overline{BC}}{\overline{AB}} = \boxed{}$

02 $\cos A = \dfrac{1}{2}$일 때, $\sin A$, $\tan A$

03 $\tan A = \dfrac{2}{3}$일 때, $\sin A$, $\cos A$

04 $\sin C = \dfrac{5}{13}$일 때, $\cos C$, $\tan C$

03 직각삼각형의 닮음을 이용한 삼각비의 값

빠른 정답 02쪽 / 친절한 해설 07쪽

직각삼각형의 닮음을 이용하여 삼각비의 값을 다음과 같이 구할 수 있다.
① 닮음인 삼각형을 찾는다.
② 크기가 같은 대응각을 찾는다.
③ 삼각비의 값을 구한다.

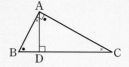

① 닮음인 삼각형
$\triangle ABC \circ \triangle DBA \circ \triangle DAC$
② 크기가 같은 대응각
$\angle ABC = \angle DAC$
$\angle BCA = \angle BAD$

 ### 유형 004 직각삼각형의 닮음을 이용한 삼각비의 값

※ 그림과 같이 $\angle A = 90°$인 직각삼각형 ABC에서 $\overline{AD} \perp \overline{BC}$일 때, 다음 값을 구하여라.

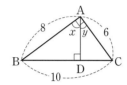

01 $\sin x$

|해설| $\triangle ABC \circ \triangle \boxed{}$ 이므로 $\angle x = \angle \boxed{}$

$\therefore \sin x = \sin \boxed{} = \boxed{}$

02 $\cos x$

03 $\tan x$

04 $\sin y$

05 $\cos y$

06 $\tan y$

※ 그림과 같이 ∠A = 90°인 직각삼각형 ABC에서
$\overline{AD} \perp \overline{BC}$일 때, 다음 값을 구하여라.

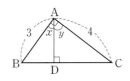

07 $\overline{BC}$의 길이

08 sin x

09 cos x

10 sin y

11 cos y

※ 그림과 같은 직각삼각형 ABC에서 $\overline{DE} \perp \overline{BC}$일 때,
다음 값을 구하여라.

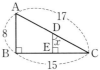

12 sin x

13 cos x

※ 그림과 같은 직각삼각형 ABC에서 $\overline{DE} \perp \overline{BC}$일 때,
다음 값을 구하여라.

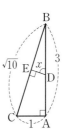

14 sin x

15 cos x

04 직육면체에서의 삼각비

입체도형에서의 삼각비의 값은 다음과 같이 구할 수 있다.
① 피타고라스의 정리를 이용하여 두 대각선의 길이를 각각 구한다.
② 두 대각선과 한 모서리로 이루어진 직각삼각형의 각 변의 길이를 이용하여 삼각비의 값을 구한다.

가로, 세로, 높이가 a, b, c인 직육면체에서 밑면의 대각선의 길이는
$$\sqrt{a^2+b^2}$$
직육면체의 대각선의 길이는
$$\sqrt{a^2+b^2+c^2}$$

 005 직육면체에서의 삼각비

※ 그림과 같은 정육면체에서 다음 삼각비의 값을 구하여라.

01

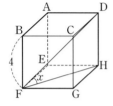

(1) $\tan x$

|해설| □EFGH는 정사각형이므로

$$\overline{FH}=\boxed{}$$

△DFH는 $\angle\boxed{}=90°$인 직각삼각형이므로

$$\tan x=\frac{\overline{DH}}{\overline{FH}}=\frac{4}{\boxed{}}=\boxed{}$$

(2) $\sin x$

|해설| $\overline{DF}=\boxed{}$이고 △DFH는 $\angle H=90°$인 직각삼각형이므로

$$\sin x=\frac{\overline{DH}}{\overline{DF}}=\frac{4}{\boxed{}}=\boxed{}$$

(3) $\cos x$

|해설| $\cos x=\dfrac{\overline{FH}}{\overline{DF}}=\dfrac{4\sqrt{2}}{4\sqrt{3}}=\boxed{}$

02

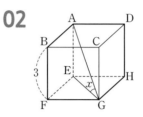

(1) $\tan x$

(2) $\sin x$

(3) $\cos x$

03

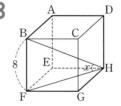

(1) $\tan x$

(2) $\sin x$

(3) $\cos x$

05 특수각의 삼각비

빠른 정답 02쪽 / 친절한 해설 08쪽

30°, 45°, 60°의 삼각비의 값

삼각비 \ A	30°	45°	60°
$\sin A$	$\dfrac{1}{2}$	$\dfrac{\sqrt{2}}{2}$	$\dfrac{\sqrt{3}}{2}$
$\cos A$	$\dfrac{\sqrt{3}}{2}$	$\dfrac{\sqrt{2}}{2}$	$\dfrac{1}{2}$
$\tan A$	$\dfrac{\sqrt{3}}{3}$	1	$\sqrt{3}$

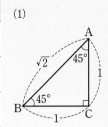
(1)

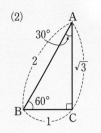
(2)

- sin 값은 각이 커질 수록 증가
- cos 값은 각이 커질 수록 감소
- tan 값은 각이 커질 수록 증가

(1) 한 각의 크기가 45°이고 직각을 낀 한 변의 길이가 1인 직각이등변삼각형 ABC에서 빗변 AB의 길이는 피타고라스의 정리에서 $\sqrt{2}$이므로
$$\overline{AB} : \overline{BC} : \overline{CA} = \sqrt{2} : 1 : 1$$

(2) 두 각이 30°, 60°이고 빗변의 길이가 2인 직각삼각형은 한 변의 길이가 2인 정삼각형을 반으로 나눈 것이므로
$$\overline{AB} : \overline{BC} : \overline{CA} = 2 : 1 : \sqrt{3}$$

유형 006 특수각의 삼각비

※ 다음을 계산하여라.

01 $\cos 45° + \sin 45°$

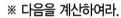 $\cos 45° + \sin 45° = \dfrac{\sqrt{2}}{2} + \boxed{} = \boxed{}$

02 $\sin 60° + \cos 30°$

03 $\sin 60° - \tan 30°$

04 $\tan 45° - \cos 60°$

05 $\tan 30° \times \tan 60°$

06 $\sin 45° \div \cos 30°$

07 $\tan 45° \div \cos 45°$

학교시험 필수예제

08 다음 식의 값을 구하여라.

$$\sqrt{3} \times \frac{1}{\tan 60°} + 4\sin 30° - \sqrt{2}\cos 45°$$

※ $0° < A < 90°$일 때, 다음을 만족하는 A의 값을 구하여라.

09 $\cos A = \dfrac{1}{\sqrt{2}}$

|해설| $\cos \boxed{} = \dfrac{1}{\sqrt{2}}$ 이므로 $A = \boxed{}$

10 $\sin A = \dfrac{1}{2}$

11 $\tan A = \sqrt{3}$

12 $\cos A = \dfrac{1}{2}$

13 $\sin A = \dfrac{\sqrt{2}}{2}$

14 $\tan A = 1$

15 $\cos A = \dfrac{\sqrt{3}}{2}$

16 $\sin A = \dfrac{\sqrt{3}}{2}$

17 $\tan A = \dfrac{\sqrt{3}}{3}$

 유형 007 특수각의 삼각비를 이용하여 변의 길이 구하기

※ 삼각비의 값을 이용하여 다음 직각삼각형 ABC에서 x의 값을 구하여라.

18

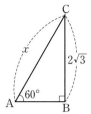

|해설| $\sin 60° = \dfrac{\sqrt{3}}{2}$ 이므로 $\dfrac{\boxed{}}{x} = \dfrac{\sqrt{3}}{2}$

$\therefore x = \boxed{} \times \dfrac{2}{\sqrt{3}} = \boxed{}$

19

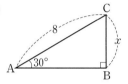

20

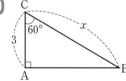

21

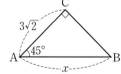

※ 삼각비의 값을 이용하여 다음 삼각형에서 x의 값을 구하여라.

22

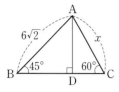

|해설| △ABD에서 $\sin 45° = \dfrac{\sqrt{2}}{2}$ 이므로

$$\dfrac{\overline{AD}}{\Box} = \dfrac{\sqrt{2}}{2} \quad \therefore \overline{AD} = \Box$$

△ADC에서 $\sin 60° = \dfrac{\sqrt{3}}{2}$ 이므로

$$\dfrac{\Box}{x} = \dfrac{\sqrt{3}}{2} \quad \therefore x = \Box$$

23

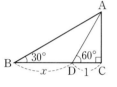

24

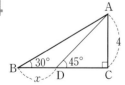

25

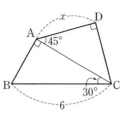

26

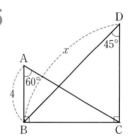

27

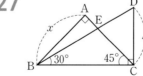

유형 008 직선의 기울기와 삼각비

※ 다음은 일차함수 $y=ax+b$의 그래프이다. 기울기 a 의 값을 구하여라.

28

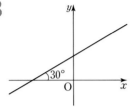

|해설| 기울기 $a=\tan 30°=$ ☐

29

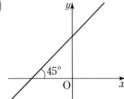

30

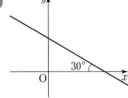

|해설| 그래프가 오른쪽 아래를 향하므로 $a<0$이다.

기울기 $a=-\tan 30°=$ ☐

31

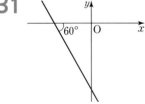

※ 다음 직선의 방정식을 $y=ax+b$ 꼴로 나타내어라.

32

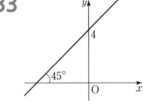

|해설| 기울기 $a=\tan 60°=$ ☐

y절편 $b=5$ ∴ $y=$ ☐ $x+5$

33

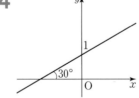

34

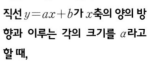

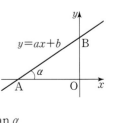

TiP

직선의 기울기와 삼각비

직선 $y=ax+b$가 x축의 양의 방향과 이루는 각의 크기를 α라고 할 때,

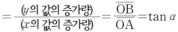

(직선의 기울기)

$=\dfrac{(y의\ 값의\ 증가량)}{(x의\ 값의\ 증가량)}=\dfrac{\overline{OB}}{\overline{OA}}=\tan \alpha$

06 사분원과 임의의 예각의 삼각비

반지름의 길이가 1인 사분원에서 임의의 예각 x에 대하여

$$\sin x = \frac{\overline{AB}}{\overline{OA}} = \frac{\overline{AB}}{1} = \overline{AB}$$

$$\cos x = \frac{\overline{OB}}{\overline{OA}} = \frac{\overline{OB}}{1} = \overline{OB}$$

$$\tan x = \frac{\overline{CD}}{\overline{OD}} = \frac{\overline{CD}}{1} = \overline{CD}$$

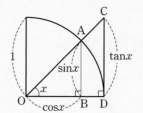

$0° < x < 90°$이고
$\sin x = \alpha$, $\cos x = \beta$일 때
$\sin(90° - x) = \beta$
$\cos(90° - x) = \alpha$

---

 009 사분원과 임의의 예각의 삼각비

※ 오른쪽 그림과 같이 반지름의 길이가 1인 사분원을 보고 옳은 것에는 ○표, 옳지 않은 것에는 ×표 하여라.

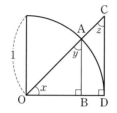

01 $\sin x = \overline{AB}$ ( )

02 $\cos x = \overline{CD}$ ( )

|해설| $\cos x = \dfrac{\boxed{}}{\overline{OA}} = \boxed{}$

03 $\sin y = \overline{OA}$ ( )

04 $\cos y = \overline{AB}$ ( )

05 $\sin z = \overline{OD}$ ( )

|해설| $\overline{AB} /\!/ \boxed{}$ 이므로 $\angle z = \boxed{}$

  $\therefore \sin z = \sin \boxed{} = \boxed{}$

06 $\cos z = \overline{AB}$ ( )

※ 오른쪽 그림과 같이 좌표평면 위의 원점 O를 중심으로 하고 반지름의 길이가 1인 사분원에서 다음 삼각비의 값을 구하여라.

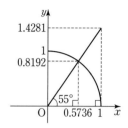

07 $\sin 55°$

08 $\cos 55°$

09 $\tan 55°$

10 $\sin 35°$

11 $\cos 35°$

07 0°, 90°의 삼각비의 값

0°, 90°의 삼각비의 값

삼각비 \ A	0°	90°
$\sin A$	0°	1
$\cos A$	1	0
$\tan A$	0	정할 수 없다.

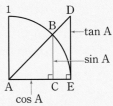

위의 그림에서 ∠A=90°가 되면 $\overline{BC}=1$, $\overline{AC}=0$이므로 $\sin 90°=1$, $\cos 90°=0$이다. 그러나 $\overline{ED}$의 길이는 정할 수 없으므로 $\tan 90°$의 값도 정할 수 없다.

010 0°, 90°의 삼각비의 값

※ 다음 삼각비의 값을 구하여라.

01 $\cos 90°$

02 $\sin 0°$

03 $\tan 90°$

04 $\sin 90°$

05 $\tan 0°$

06 $\cos 0°$

※ 다음을 계산하여라.

07 $\sin 90° - \cos 0°$

08 $2 \tan 0° + \cos 90°$

09 $2 \cos 0° - \tan 45°$

10 $\sin 90° \times \tan 0° + \cos 60°$

11 $\cos 90° \times \tan 0° - \sin 90° \times \cos 0°$

12 $\sqrt{3} \tan 30° - \sin 90° \times \sin 60°$

08 삼각비의 대소 관계

$0° \le x \le 90°$인 범위에서 x의 값이 커지면
① $\sin x$의 값은 0에서 1까지 증가
② $\cos x$의 값은 1에서 0까지 감소
③ $\tan x$의 값은 0에서 무한히 증가

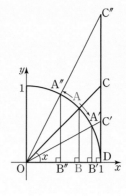

- $0° \le x < 45°$일 때,
  $\sin x < \cos x$

- $x = 45°$일 때,
  $\sin x = \cos x < \tan x$

- $45° < x \le 90°$일 때,
  $\cos x < \sin x < \tan x$

011 삼각비의 대소 관계

※ 다음 ◯ 안에 >, < 또는 =를 알맞게 써넣어라.

01 $\sin 60° \bigcirc \sin 30°$

02 $\cos 60° \bigcirc \cos 45°$

03 $\tan 60° \bigcirc \tan 45°$

04 $\sin 90° \bigcirc \cos 90°$

05 $\cos 0° \bigcirc \tan 0°$

06 $\sin 0° \bigcirc \cos 30°$

07 $\cos 35° \bigcirc \sin 35°$

08 $\tan 50° \bigcirc \cos 60°$

09 $\cos 0° \bigcirc \sin 0°$

10 $\cos 45° \bigcirc \sin 45°$

11 $\tan 55° \bigcirc \sin 70°$

09 삼각비의 표

1. 삼각비의 표 : 0°에서 90° 사이의 각을 1° 간격으로 나누어 삼각비의 어림값을 표로 나타낸 것

각도	사인(sin)	코사인(cos)	탄젠트(tan)
⋮	⋮	⋮	⋮
31°	0.5150	0.8472	0.6009
32° →	0.5299	0.5480	0.6249
33°	0.5446	0.8387	0.6494
⋮	⋮	⋮	⋮

2. 삼각비의 표를 읽는 방법 : 삼각비의 표에서 가로줄과 세로줄이 만나는 곳의 수가 삼각비의 어림값이다.

- 삼각비의 표의 삼각비의 값은 어림한 값이지만 편의상 '='를 쓴다.
- 표에서 sin 32°=0.5299

012 삼각비의 표

※ 다음 삼각비의 표를 보고 삼각비의 값을 구하여라.

각도	사인(sin)	코사인(cos)	탄젠트(tan)
51°	0.7771	0.6293	1.2349
52°	0.7880	0.6157	1.2799
53°	0.7986	0.6018	1.3270
54°	0.8090	0.5878	1.3764

01 $\sin 51°$

02 $\sin 53°$

03 $\cos 52°$

04 $\cos 54°$

05 $\tan 52°$

06 $\tan 54°$

※ 삼각비의 표를 보고 다음을 만족하는 $\angle x$의 크기를 구하여라.

각도	사인(sin)	코사인(cos)	탄젠트(tan)
82°	0.9903	0.1392	7.1154
83°	0.9925	0.1219	8.1443
84°	0.9945	0.1045	9.5144
85°	0.9962	0.0872	11.4301

07 $\sin x=0.9925$

08 $\cos x=0.1392$

09 $\tan x=7.1154$

10 $\sin x=0.9962$

11 $\cos x=0.1045$

12 $\tan x=9.5144$

※ 다음 삼각비의 표를 보고 x의 값을 구하여라.

각도	사인(sin)	코사인(cos)	탄젠트(tan)
35°	0.5736	0.8192	0.7002
36°	0.5878	0.8090	0.7265
37°	0.6018	0.7986	0.7536
38°	0.6157	0.7880	0.7813

13

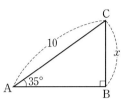

|해설| $\sin 35° = \dfrac{x}{10} = \boxed{}$

$\therefore x = \boxed{}$

14

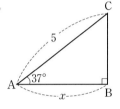

15

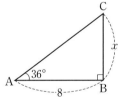

16

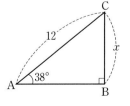

※ 다음 삼각비의 표를 보고 x의 값을 구하여라. (단, 나누어 떨어지지 않으면 반올림하여 자연수로 나타낸다.)

각도	사인(sin)	코사인(cos)	탄젠트(tan)
46°	0.7193	0.6947	1.0355
47°	0.7314	0.6820	1.0724
48°	0.7431	0.6691	1.1106
49°	0.7547	0.6561	1.1504

17

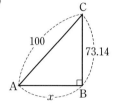

|해설| $\sin A = \dfrac{73.14}{100} = 0.7314 \quad \therefore A = \boxed{}$

$\cos\boxed{} = \dfrac{x}{100} = \boxed{} \qquad \therefore x = \boxed{}$

18

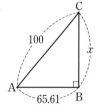

19

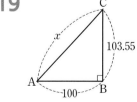

10 직각삼각형의 변의 길이

빠른 정답 03쪽 / 친절한 해설 08쪽

∠C＝90°인 직각삼각형 ABC에서
① ∠B의 크기와 c를 알 때,
$a=c \cos B$, $b=c \sin B$
② ∠B의 크기와 a를 알 때,
$b=a \tan B$, $c=\dfrac{a}{\cos B}$
③ ∠B의 크기와 b를 알 때,
$a=\dfrac{b}{\tan B}$, $c=\dfrac{b}{\sin B}$

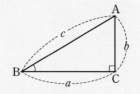

직각삼각형의 변의 길이

기준각 ∠B에 대하여 주어진 변과 구하는 변이 각각
(ⅰ) 빗변, 높이 ⇨ sin 이용
(ⅱ) 빗변, 밑변 ⇨ cos 이용
(ⅲ) 밑변, 높이 ⇨ tan 이용

유형 013 직각삼각형의 변의 길이

※ 오른쪽 그림과 같이
∠C＝90°인 직각삼각형 ABC에 대하여 □ 안에 알맞은 것을 써넣어라.

01 $\sin B=\dfrac{b}{c} \rightarrow b=$ ☐

02 $\cos B=\dfrac{a}{c} \rightarrow a=$ ☐

03 $\tan B=\dfrac{b}{a} \rightarrow b=$ ☐

04 $\sin A=\dfrac{a}{c} \rightarrow a=$ ☐

05 $\cos A=\dfrac{b}{c} \rightarrow b=$ ☐

06 $\tan A=\dfrac{a}{b} \rightarrow a=$ ☐

07 오른쪽 그림과 같은 ∠B＝90°인 직각삼각형 ABC에서 x, y의 값을 각각 구하여라.

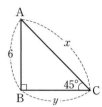

(1) x의 값

(2) y의 값

08 오른쪽 그림과 같은 ∠B＝90°인 직각삼각형 ABC에서 x, y의 값을 각각 구하여라.

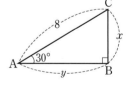

(1) x의 값

(2) y의 값

09 다음 그림과 같은 $\angle C = 90°$인 직각삼각형 ABC에서 x, y의 값을 각각 구하여라. (단, $\sin 55° = 0.8$, $\cos 55° = 0.6$, $\tan 55° = 1.4$로 계산한다.)

(1) x의 값

|해설| $\sin 55° = \dfrac{x}{10}$이므로

$x = \boxed{} \sin 55°$ $\therefore$ $x = \boxed{}$

(2) y의 값

|해설| $\cos 55° = \dfrac{y}{10}$이므로

$y = \boxed{} \cos 55°$ $\therefore$ $y = \boxed{}$

10 다음 그림과 같은 $\angle B = 90°$인 직각삼각형 ABC에서 x, y의 값을 각각 구하여라. (단, $\sin 70° = 0.9$, $\cos 70° = 0.3$, $\tan 70° = 2.7$로 계산한다.)

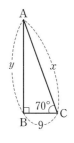

(1) x의 값

(2) y의 값

11 다음 그림과 같은 $\angle C = 90°$인 직각삼각형 ABC에서 x, y의 값을 각각 구하여라. (단, $\sin 31° = 0.5$, $\cos 31° = 0.9$, $\tan 31° = 0.6$으로 계산한다.)

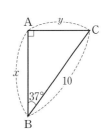

(1) x의 값

(2) y의 값

12 다음 그림과 같은 $\angle A = 90°$인 직각삼각형 ABC에서 x, y의 값을 각각 구하여라. (단, $\sin 37° = 0.6$, $\cos 37° = 0.8$, $\tan 37° = 0.8$로 계산한다.)

(1) x의 값

(2) y의 값

014 입체도형에서 직각삼각형의 변의 길이

 015 실생활에서 직각삼각형의 변의 길이

※ 다음 입체도형의 부피를 구하여라.

13

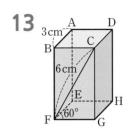

|해설| $\overline{FG}=6\cos 60°=\boxed{}(cm)$

$\overline{CG}=6\sin 60°=\boxed{}(cm)$

$\therefore (부피)=\boxed{}\times\boxed{}\times 3=\boxed{}(cm^3)$

14

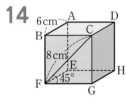

15

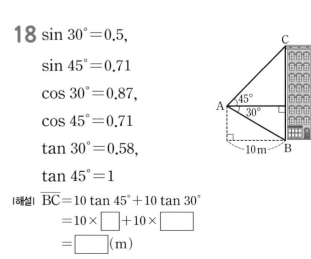

※ 다음 그림에서 주어진 삼각비의 값을 이용하여 건물의 높이를 구하여라.

16 $\sin 55°=0.82$

$\cos 55°=0.57$

$\tan 55°=1.43$

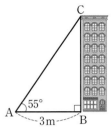

|해설| $\tan 55°=\dfrac{\overline{BC}}{3}$

$\therefore \overline{BC}=3\tan 55°$

$=3\times\boxed{}=\boxed{}(m)$

17 $\sin 70°=0.94$

$\cos 70°=0.34$

$\tan 70°=2.74$

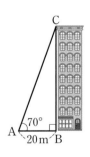

18 $\sin 30°=0.5,$

$\sin 45°=0.71$

$\cos 30°=0.87,$

$\cos 45°=0.71$

$\tan 30°=0.58,$

$\tan 45°=1$

|해설| $\overline{BC}=10\tan 45°+10\tan 30°$

$=10\times\boxed{}+10\times\boxed{}$

$=\boxed{}(m)$

11 일반 삼각형의 변의 길이 (1)

빠른 정답 03쪽 / 친절한 해설 09쪽

두 변의 길이와 끼인각의 크기를 알 때,
$\triangle ABH$에서 $\overline{AH}=c\sin B$, $\overline{BH}=c\cos B$이므로
$\overline{CH}=\overline{BC}-\overline{BH}=a-c\cos B$
$\therefore \overline{AC}=\sqrt{\overline{AH}^2+\overline{CH}^2}$
$=\sqrt{(c\sin B)^2+(a-c\cos B)^2}$

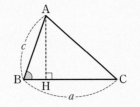

일반 삼각형의 변의 길이를 구할 때에는 특수각($30°$, $45°$, $60°$)의 삼각비를 이용할 수 있도록 보조선을 그어 2개의 직각삼각형으로 나눈다.

 016 두 변의 길이와 그 끼인각의 크기가 주어진 경우

※ 오른쪽 삼각형 ABC에서 다음을 구하여라.

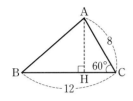

01 $\overline{AH}$의 길이

02 $\overline{CH}$의 길이

03 $\overline{BH}$의 길이

04 $\overline{AB}$의 길이

※ 다음 삼각형에서 $\overline{AC}$의 길이를 구하여라.

05
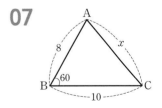

06

07

12 일반 삼각형의 변의 길이 (2)

빠른 정답 03쪽 / 친절한 해설 09쪽

한 변의 길이와 그 양 끝각의 크기를 알 때,
① 두 각의 크기에서 나머지 한 각의 크기를 구한다.
② 길이를 구하고자 하는 변이 빗변인 직각삼각형이
　만들어지도록 한 꼭짓점에서 수선을 긋는다.
③ 삼각비를 이용하여 변의 길이를 구한다.

$$\overline{AB}=\frac{a\sin C}{\sin A},\ \overline{AC}=\frac{a\sin B}{\sin A}$$

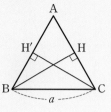

$$\overline{BH}=\overline{AB}\sin A$$
$$=a\sin C$$

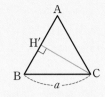

$$\overline{CH'}=\overline{AC}\sin A$$
$$=a\sin B$$

 017 한 변의 길이와 양 끝각의 크기가 주어진 경우

※ 오른쪽 삼각형 ABC에서 다
음을 구하여라.

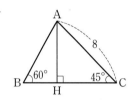

01 $\overline{AH}$의 길이

02 $\overline{AB}$의 길이

※ 오른쪽 삼각형 ABC에서 다
음을 구하여라.

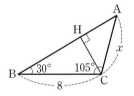

03 ∠A의 크기

|해설| $\angle A=180°-(30°+105°)=\boxed{}$

04 $\overline{CH}$의 길이

05 x의 값

|해설| △ACH에서 $\dfrac{\overline{CH}}{x}=\sin\boxed{}$

$\therefore x=\dfrac{\overline{CH}}{\sin\boxed{}}=\boxed{}\div\boxed{}=\boxed{}$

※ 다음 삼각형에서 x의 값을 구하여라.

06

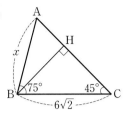

|해설| $\angle A = 180° - (75° + 45°) = \boxed{}$

$\overline{BH} = 6\sqrt{2}\sin 45° = 6\sqrt{2} \times \dfrac{\sqrt{2}}{2} = 6$

$\triangle ABH$에서 $\dfrac{\overline{BH}}{x} = \sin \boxed{}$

$\therefore x = \dfrac{\overline{BH}}{\sin \boxed{}} = \boxed{} \div \boxed{} = \boxed{}$

07

08

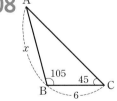

09

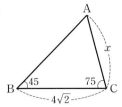

10

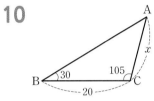

학교시험 필수예제

11 오른쪽 그림의 $\triangle ABC$에서 $\overline{BC}$의 길이를 구하여라.

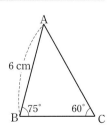

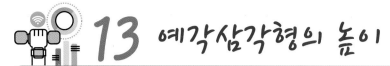

13 예각삼각형의 높이

$\overline{BC}$의 길이와 그 양 끝각 $\angle B$, $\angle C$의 크기를 알 때, 높이 h는

$$h=\frac{a}{\tan x+\tan y}$$

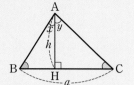 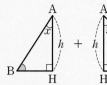

$\overline{BH}=h\tan x$ $\overline{CH}=h\tan y$

$\overline{BH}+\overline{CH}=a$이므로 $h(\tan x+\tan y)=a$

$\therefore h=\frac{a}{\tan x+\tan y}$

018 예각삼각형의 높이

※ 오른쪽 그림의 삼각형 ABC를 보고, □ 안에 알맞은 것을 써넣어라.

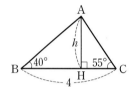

01 $\overline{BH}$를 h와 $\angle BAH$를 이용하여 나타내기

|해설| $\angle BAH=90°-\boxed{}=\boxed{}$

$\overline{BH}=h\tan\boxed{}$

02 $\overline{CH}$를 h와 $\angle CAH$를 이용하여 나타내기

|해설| $\angle CAH=90°-\boxed{}=\boxed{}$

$\overline{CH}=h\tan\boxed{}$

03 높이 h를 삼각비를 이용하여 나타내기

|해설| $\overline{BH}+\overline{CH}=4$이므로 $h(\tan\boxed{}+\tan\boxed{})=4$

$\therefore h=\dfrac{4}{\tan\boxed{}+\tan\boxed{}}$

※ 다음 삼각형 ABC에서 높이 h를 구하여라.

04

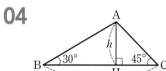

05

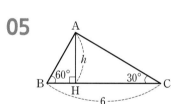

06

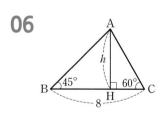

14 둔각삼각형의 높이

$\overline{BC}$의 길이와 $\angle B$, $\angle ACH$의 크기를 알 때, 높이 h는

$$h = \frac{a}{\tan x - \tan y}$$

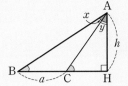 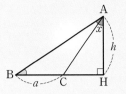 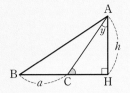

$\overline{BH} = h \tan x$ $\overline{CH} = h \tan y$

$\overline{BH} - \overline{CH} = a$이므로 $h(\tan x - \tan y) = a$

$\therefore h = \dfrac{a}{\tan x - \tan y}$

 유형 019 둔각삼각형의 높이

※ 오른쪽 그림의 삼각형 ABC를 보고, □ 안에 알맞은 것을 써넣어라.

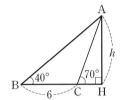

01 $\overline{BH}$를 h와 $\angle BAH$를 이용하여 나타내기

|해설| $\angle BAH = 90° - \boxed{} = \boxed{}$

$\overline{BH} = h \tan \boxed{}$

02 $\overline{CH}$를 h와 $\angle CAH$를 이용하여 나타내기

|해설| $\angle CAH = 90° - \boxed{} = \boxed{}$

$\overline{CH} = h \tan \boxed{}$

03 높이 h를 삼각비를 이용하여 나타내기

|해설| $\overline{BH} - \overline{CH} = 6$이므로 $h(\tan \boxed{} - \tan \boxed{}) = 6$

$\therefore h = \dfrac{6}{\tan \boxed{} - \tan \boxed{}}$

※ 다음 삼각형 ABC에서 높이 h를 구하여라.

04

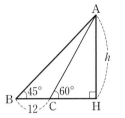

|해설| $h = \dfrac{\boxed{}}{\tan 45° - \tan 30°} = \dfrac{\boxed{}}{1 - \dfrac{\sqrt{3}}{3}}$

$= \dfrac{\boxed{}}{3 - \sqrt{3}} = \boxed{} + \boxed{} \sqrt{3}$

05

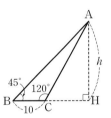

06

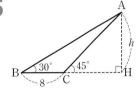

15 삼각형의 넓이

1. △ABC에서 두 변의 길이가 a, c이고 그 끼인각 ∠B가 예각일 때

   △ABC의 넓이 $=\dfrac{1}{2}ac \sin B$

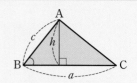

왼쪽 그림에서 삼각형의 높이 h는
∠B가 예각이면 $h=c \sin B$
∠B가 둔각이면 $h=c \sin(180°-B)$

2. △ABC에서 두 변의 길이가 a, c이고 그 끼인각 ∠B가 둔각일 때

   △ABC의 넓이 $=\dfrac{1}{2}ac \sin(180°-B)$

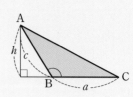

020 두 변의 끼인각이 예각인 삼각형의 넓이

※ 다음 삼각형 ABC의 넓이를 구하여라.

01

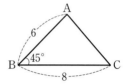

|해설| $\triangle \text{ABC} = \dfrac{1}{2} \times 8 \times 6 \times \sin \boxed{}$

$\qquad = \dfrac{1}{2} \times 8 \times 6 \times \boxed{} = \boxed{}$

02

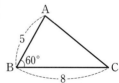

03

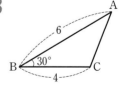

04

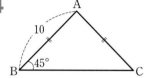

|해설| ∠B$=45°$이므로

$\angle \text{A} = 180° - 2 \times \boxed{} = \boxed{}$

$\triangle \text{ABC} = \dfrac{1}{2} \times 10 \times 10 \times \boxed{} = \boxed{}$

05

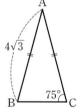

06

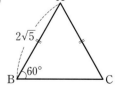

유형 021 두 변의 끼인각이 둔각인 삼각형의 넓이

※ 다음 삼각형 ABC의 넓이를 구하여라.

07

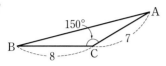

|해설| $\triangle ABC = \dfrac{1}{2} \times 8 \times 7 \times \sin(180° - \boxed{})$

$= \dfrac{1}{2} \times 8 \times 7 \times \boxed{} = \boxed{}$

08

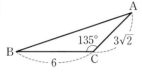

09

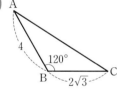

10

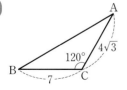

11

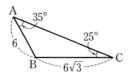

|해설| $\angle B = 180° - (35° + 25°) = \boxed{}$ 이므로

$\triangle ABC = \dfrac{1}{2} \times 6\sqrt{3} \times 6 \times \boxed{} = \boxed{}$

12

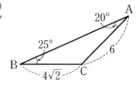

13

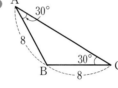

14

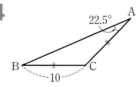

유형 022 다각형의 넓이

※ 다음 그림에서 색칠한 부분의 넓이를 구하여라.

15

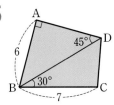

|해설| $\overline{AD}=6\tan 45°=6$, $\overline{BD}=\dfrac{6}{\sin 45°}=6\sqrt{2}$이므로

$\square ABCD=\triangle ABD+\triangle BCD$

$\quad=\dfrac{1}{2}\times 6\times\boxed{}+\dfrac{1}{2}\times 7\times 6\sqrt{2}\times\boxed{}$

$\quad=\dfrac{1}{2}\times 6\times\boxed{}+\dfrac{1}{2}\times 7\times 6\sqrt{2}\times\boxed{}$

$\quad=18+\boxed{}\sqrt{2}$

16

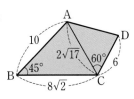

17

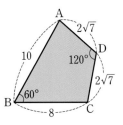

18

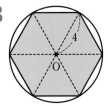

|해설| 색칠된 육각형은 정육각형이고 이것은 6개의 합동인 정삼각형으로 나누어지므로

$6\times\left(\dfrac{1}{2}\times\boxed{}\times\boxed{}\times\boxed{}\right)=\boxed{}$

19

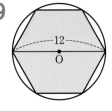

20

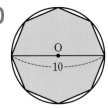

16 사각형의 넓이

1. 평행사변형의 넓이
평행사변형 ABCD의 이웃하는 두 변의 길이가 a, b이고 그 끼인각의 크기가 x일 때 넓이를 S라고 하면,
① x가 예각이면 $S = ab \sin x$
② x가 둔각이면 $S = ab \sin(180° - x)$

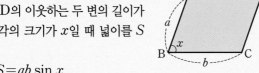

2. 사각형의 넓이
사각형 ABCD의 두 대각선의 길이가 a, b이고 그 두 대각선이 이루는 각의 크기가 x일 때 넓이를 S라고 하면,
① x가 예각이면 $S = \dfrac{1}{2} ab \sin x$
② x가 둔각이면 $S = \dfrac{1}{2} ab \sin(180° - x)$

1. 평행사변형의 한 대각선은 넓이를 이등분한다.

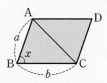

2. 사각형의 각 꼭짓점을 지나고 대각선에 평행인 평행선을 그으면 평행사변형이 된다. 주어진 사각형의 넓이는 평행사변형의 넓이의 $\dfrac{1}{2}$배이다.

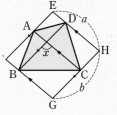

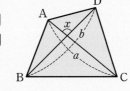

---

 023 평행사변형의 넓이

※ 다음 평행사변형 ABCD의 넓이를 구하여라.

01

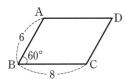

|해설| $\square ABCD = 6 \times 8 \times \sin \boxed{}$

$\quad = 6 \times 8 \times \boxed{} = \boxed{}$

02

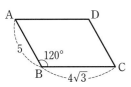

03

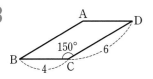

04

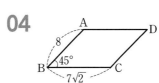

05

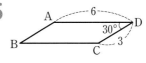

06

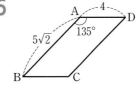

024 사각형의 넓이

※ 다음 사각형 ABCD의 넓이를 구하여라.

07

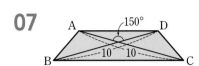

|해설| $\square ABCD = \dfrac{1}{2} \times 10 \times 10 \times \sin(180° - \boxed{})$

$= \dfrac{1}{2} \times 10 \times 10 \times \boxed{} = \boxed{}$

08

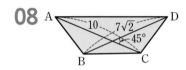

09

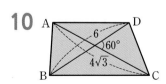

10

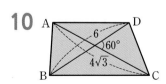

11

12

13

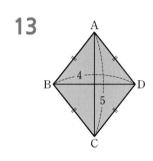

14

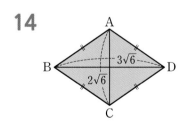

I. 삼각비

기본 개념 CHECK

1. 삼각비의 뜻

(1) 그림과 같이 $\angle B = 90°$인 직각삼각형 ABC에서 $\sin A$, $\cos A$, $\tan A$를 $\angle A$의 삼각비라고 한다.

 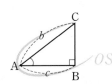 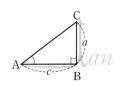

① $\sin A = \boxed{\textbf{❶}} = \dfrac{a}{b}$ ② $\cos A = \dfrac{\overline{AB}}{\overline{AC}} = \dfrac{c}{b}$ ③ $\tan A = \dfrac{\overline{BC}}{\overline{AB}} = \boxed{\textbf{❷}}$

(2) 하나의 삼각비만 주어졌을 때, 나머지 삼각비의 값 구하기

   ① 주어진 삼각비의 값만으로 직각삼각형을 그린다.

   ② 피타고라스의 정리를 이용하여 나머지 한 변의 길이를 구한다.

   ③ 다른 두 삼각비의 값을 구한다.

2. 직각삼각형의 닮음을 이용한 삼각비의 값

직각삼각형의 닮음을 이용하여 삼각비의 값을 다음과 같이 구할 수 있다.

(1) 닮음인 삼각형을 찾는다.

(2) 크기가 같은 대응각을 찾는다.

(3) 삼각비의 값을 구한다.

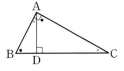

(1) 닮음인 삼각형
   $\triangle ABC \backsim \triangle DBA \backsim \triangle DAC$

(2) 크기가 같은 대응각
   $\angle ABC = \angle DAC$
   $\angle BCA = \angle BAD$

3. 직육면체에서의 삼각비

(1) 피타고라스의 정리를 이용하여 두 대각선의 길이를 각각 구한다.

(2) 두 대각선과 한 모서리로 이루어진 직각삼각형의 각 변의 길이를 이용하여 삼각비의 값을 구한다.

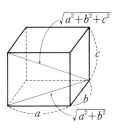

4. 30°, 45°, 60°의 삼각비의 값

$\dfrac{A}{\text{삼각비}}$	30°	45°	60°
$\sin A$	$\boxed{\textbf{❸}}$	$\dfrac{\sqrt{2}}{2}$	$\dfrac{\sqrt{3}}{2}$
$\cos A$	$\dfrac{\sqrt{3}}{2}$	$\boxed{\textbf{❹}}$	$\dfrac{1}{2}$
$\tan A$	$\dfrac{\sqrt{3}}{3}$	1	$\boxed{\textbf{❺}}$

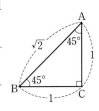 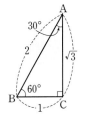

❶ $\dfrac{\overline{BC}}{\overline{AC}}$ ❷ $\dfrac{a}{c}$ ❸ $\dfrac{1}{2}$ ❹ $\dfrac{\sqrt{2}}{2}$ ❺ $\sqrt{3}$

5. 삼각비의 값

(1) 일반적인 예각의 삼각비의 값 : 반지름의 길이가 1인 사분원에서
임의의 예각 x에 대하여

$$\sin x = \frac{\overline{AB}}{\overline{OA}} = \overline{AB}$$

$$\cos x = \frac{\overline{OB}}{\overline{OA}} = \boxed{❻}$$

$$\tan x = \frac{\overline{CD}}{\overline{OD}} = \boxed{❼}$$

개념 Window

$0° < x < 90°$이고
$\sin x = \alpha$, $\cos x = \beta$일 때
$\sin(90° - x) = \beta$
$\cos(90° - x) = \alpha$

(2) 0°, 90°의 삼각비의 값

① $\sin 0° = 0$, $\cos 0° = 1$, $\tan 0° = 0$

② $\sin 90° = \boxed{❽}$, $\cos 90° = \boxed{❾}$ 이고, $\tan 90°$의 값은 정할 수 없다.

(3) 삼각비의 표

① 0°에서 90° 사이의 각을 1° 간격으로 나누어 삼각비의 어림값을 표로 나타낸 것

② 삼각비의 표를 읽는 방법 : 삼각비의 표에서 가로줄과 세로줄이 만나는 곳의 수가 삼각비의 어림값이다.

삼각비의 표의 삼각비의 값은 어림한 값이지만 편의상 '='를 쓴다.

각도	사인(sin)	코사인(cos)	탄젠트(tan)
⋮	⋮	⋮	⋮
31°	0.5150	0.8472	0.6009
32°	0.5299	0.5480	0.6249
33°	0.5446	0.8387	0.6494
⋮	⋮	⋮	⋮

6. 직각삼각형의 변의 길이

직각삼각형에서는 한 변의 길이와 한 예각의 크기를 알면 삼각비를 이용하여 나머지 두 변의 길이를 구할 수 있다. 오른쪽 그림의 직각삼각형 ABC에서

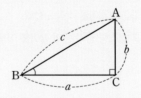

(1) ∠B의 크기와 빗변의 길이 c를 알고 있을 때

$$a = c \cos B, \; b = c \boxed{❿}$$

(2) ∠B의 크기와 $\overline{BC}$의 길이 a를 알고 있을 때

$$b = a \boxed{⓫}, \; c = \frac{a}{\cos B}$$

(3) ∠B의 크기와 $\overline{AC}$의 길이 b를 알고 있을 때

$$a = \frac{b}{\tan B}, \; c = \frac{b}{\sin B}$$

❻ $\overline{OB}$　❼ $\overline{CD}$　❽ 1　❾ 0　❿ $\sin B$　⓫ $\tan B$

7. 일반 삼각형의 변의 길이

(1) 두 변의 길이와 끼인각의 크기를 알 때

$\triangle ABH$에서 $\overline{AH}=c\sin B$, $\overline{BH}=c\cos B$이므로

$\overline{CH}=\overline{BC}-\overline{BH}=a-c\cos B$

$\therefore \overline{AC}=\sqrt{\overline{AH}^2+\overline{CH}^2}=\sqrt{(c\sin B)^2+(a-c\cos B)^2}$

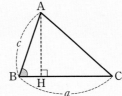

(2) 한 변의 길이와 그 양 끝각의 크기를 알 때

① 두 각의 크기에서 나머지 한 각의 크기를 구한다.

② 길이를 구하고자 하는 변이 빗변인 직각삼각형이 만들어지도록 한 꼭짓점에서 수선을 긋는다.

③ 삼각비를 이용하여 변의 길이를 구한다.

$$\overline{AB}=\frac{a\sin C}{\sin A}, \quad \overline{AC}=\frac{a\sin B}{\sin A}$$

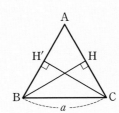

8. 삼각형의 넓이

$\triangle ABC$에서 두 변의 길이 a, c와 그 끼인각 $\angle B$의 크기를 알 때, $\triangle ABC$의 넓이는

(1) $\angle B$가 예각일 때 그 넓이를 S라고 하면,

$\triangle ABC=\dfrac{1}{2}ah=\dfrac{1}{2}ac$ ⑫ $\boxed{}$

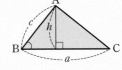

(2) $\angle B$가 둔각일 때 그 넓이를 S라고 하면,

$\triangle ABC=\dfrac{1}{2}ah=\dfrac{1}{2}ac$ ⑬ $\boxed{}$

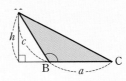

9. 사각형의 넓이

(1) 평행사변형의 넓이

평행사변형 ABCD의 이웃하는 두 변의 길이가 a, b이고 그 끼인각의 크기가 x일 때 그 넓이를 S라 하면

① x가 예각이면 $S=ab\sin x$

② x가 둔각이면 $S=ab$ ⑭ $\boxed{}$

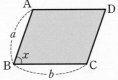

(2) 사각형의 넓이

사각형 ABCD의 두 대각선의 길이가 a, b이고 그 두 대각선이 이루는 각의 크기가 x일 때 그 넓이를 S라 하면

① x가 예각이면 $S=\boxed{⑮}\ ab\sin x$

② x가 둔각이면 $S=\boxed{⑯}\ ab\sin(180^\circ-x)$

⑫ $\sin B$ ⑬ $\sin(180^\circ-B)$ ⑭ $\sin(180^\circ-x)$ ⑮ $\dfrac{1}{2}$ ⑯ $\dfrac{1}{2}$

개념 window

일반 삼각형의 변의 길이를 구할 때에는 특수각(30°, 45°, 60°)의 삼각비를 이용할 수 있도록 보조선을 그어 직각삼각형을 2개로 나눈다.

$\overline{BH}=\overline{AB}\sin A=a\sin C$

$\overline{CH'}=\overline{AC}\sin A=a\sin B$

$\triangle ABC$의 높이 h는

(1) $\angle B$가 예각일 때

$h=c\sin B$

(2) $\angle B$가 둔각일 때

$h=c\sin(180^\circ-B)$

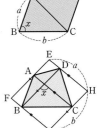

영화관 명당자리
한국영화는 G열 중앙, 외국영화는 K열 중앙이
영화 감상에 좋은 자리이다.

런던 아이(London Eye)
영국 템즈 강변에 위치한 높이 135m의 대형
관람차로 매년 350만 여명의 관광객이 방문한
다.

해머던지기
해머던지기에서 돌리던 해머에서 손을 떼는 순
간 해머는 원의 접선 방향으로 날아간다.

어디가?

영화를 보기에
가장 좋은 자리일까?
그 답은 바로

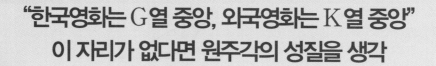

"한국영화는 G열 중앙, 외국영화는 K열 중앙"
이 자리가 없다면 원주각의 성질을 생각

영화 관람의 명당자리는 영화관 직원이 추천해 주는 자리가 좋은 자리이다. 하지만 무인화 기계로 예매를 하거
나 인터넷으로 예매를 한다면 좋은 자리를 고르는 방법을 알아두는 것이 좋다. 외국영화는 자막이 있어서 시야가
한국영화보다 좀 더 넓은 편이라서 G열 중앙보다는 조금 뒤쪽인 K열 중앙이 좋다.

그렇지만 원하는 자리에 예약을 할 수 없다면 어디가 좋을까? 그렇다면 영화 스크린의 양 끝점과 G열 중앙(외
국영화일 경우 K열 중앙)으로 만들어지는 삼각형을 생각한 다음 이 삼각형의 세 꼭짓점을 지나는 원을 그린다.
그런 후 일정한 호(현)에 대한 원주각의 크기는 모두 같다는 수학적 원리를 생각해서 G열 중앙(외국영화일 경우
K열 중앙)과 원주각의 크기가 같은 자리를 고르면 된다.

II. 원의 성질

학습 목표

1. 원의 현에 관한 성질과 접선에 관한 성질을 이해한다.
2. 원주각의 성질을 이해한다.
3. 원주각을 활용하여 여러 가지 문제를 해결할 수 있다.

01 중심각과 현, 호의 길이

한 원 또는 합동인 두 원에서
1. 크기가 같은 두 중심각에 대한 호의 길이와 현의 길이는 각각 같다.
2. 길이가 같은 두 호 또는 두 현에 대한 중심각의 크기는 같다.

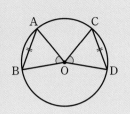

∠AOB=∠COD이면
$\overline{OA}=\overline{OB}=\overline{OC}=\overline{OD}$이므로
(부채꼴 AOB)≡(부채꼴 COD)
△AOB≡△COD

 025 **중심각과 현**

※ 다음 그림의 원 O에서 x의 값을 구하여라.

01

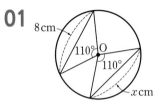

02

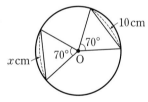

03

※ 다음 그림의 원 O에서 ∠x의 크기를 구하여라.

04

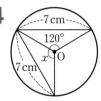

05

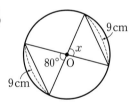

06

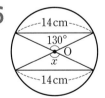

026 중심각과 호

※ 다음 그림의 원 O에서 x의 값을 구하여라.

07

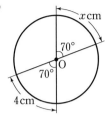

08

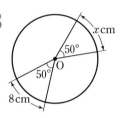

09

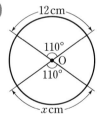

10

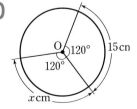

※ 다음 그림의 원 O에서 ∠x의 크기를 구하여라.

11

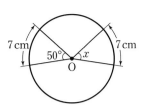

12

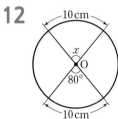

13

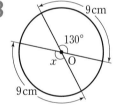

14

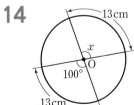

02 현의 수직이등분선

1. 원의 중심에서 현에 내린 수선은 그 현을 이등분한다.
   ⇨ $\overline{OH} \perp \overline{AB}$이면 $\overline{AH} = \overline{BH}$
2. 원에서 현의 수직이등분선은 그 원의 중심을 지난다.

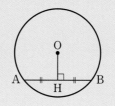

△OAH와 △OBH에서
∠OHA = ∠OHB = 90°
$\overline{OA} = \overline{OB}$ (반지름)
$\overline{OH}$는 공통인 변
∴ △OAH ≡ △OBH

027 현의 수직이등분선

※ 다음 그림의 원 O에서 x의 값을 구하여라.

01

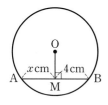

|해설| 원의 중심에서 현에 내린 수선은 그 현을 이등분한다.
$\overline{AM} = \overline{BM} = \boxed{}$ cm   ∴ $x = \boxed{}$

02

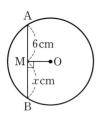

03

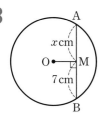

04

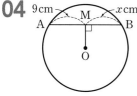

05

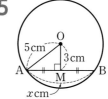

|해설| $\overline{AM} = \sqrt{5^2 - \boxed{}^2} = \boxed{}$ (cm)
∴ $x = 2\overline{AM} = \boxed{}$

06

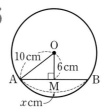

07

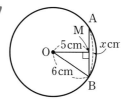

08

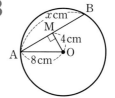

028 원의 반지름의 길이

※ 다음 그림의 원 O에서 r의 값을 구하여라.

09

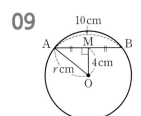

10

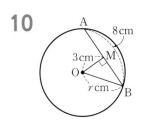

11

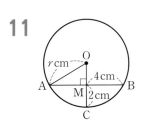

|해설| $\overline{\mathrm{OM}}=(r-2)$cm이므로 △OMA에서

$(r-2)^2+\boxed{}^2=r^2$ ∴ $r=\boxed{}$

12

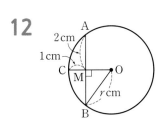

029 보조선을 이용한 원의 반지름의 길이

※ 다음 그림에서 $\overset{\frown}{\mathrm{AB}}$는 원의 일부분이다.
$\overline{\mathrm{AM}}=\overline{\mathrm{BM}}$, $\overline{\mathrm{AB}}\perp\overline{\mathrm{CM}}$일 때, 이 원의 반지름의 길이를 구하여라.

13

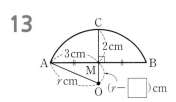

|해설| $r^2=\left(r-\boxed{}\right)^2+3^2$

$\boxed{}r=13$ ∴ $r=\boxed{}$

14

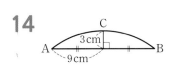

15

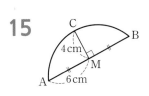

16

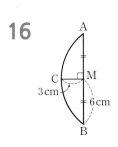

03 현의 길이

한 원 또는 합동인 두 원에서

1. 원의 중심으로부터 같은 거리에 있는 두 현의 길이는 같다.
   ⇨ $\overline{OM}=\overline{ON}$이면 $\overline{AB}=\overline{CD}$

2. 길이가 같은 두 현은 원의 중심으로부터 같은 거리에 있다.
   ⇨ $\overline{AB}=\overline{CD}$이면 $\overline{OM}=\overline{ON}$

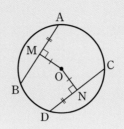

△OAM과 △ODN에서
∠OMA = ∠OND = 90°
$\overline{OA}=\overline{OD}$ (반지름)
$\overline{OM}=\overline{ON}$
∴ △OAM ≡ △ODN

030 현의 길이

※ 다음 그림의 원 O에서 x의 값을 구하여라.

01

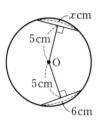

02

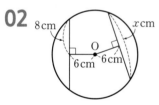

03

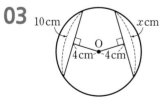

04

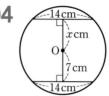

05

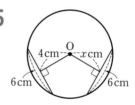

06

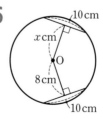

※ 다음 그림의 원 O에서 x의 값을 구하여라.

07

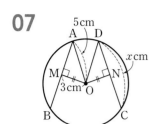

|해설| $\overline{AM}=\sqrt{5^2-3^2}=\boxed{}$ (cm)이므로

$x=\overline{AB}=2\overline{AM}=\boxed{}$

08

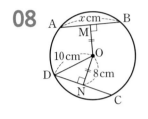

09

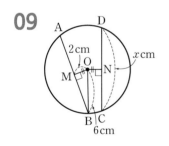

10

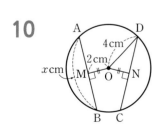

※ 다음 그림과 같이 원 O에 △ABC가 내접하고 있다. $\overline{OM}=\overline{ON}$일 때, ∠$x$의 크기를 구하여라.

11

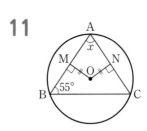

|해설| $\overline{OM}=\overline{ON}$이므로 $\overline{AB}=\overline{AC}$

△ABC는 이등변삼각형이므로

∠$x=180°-2\times\boxed{}=\boxed{}$

12

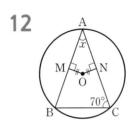

13

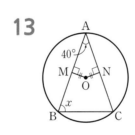

14

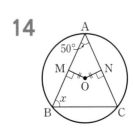

04 원의 접선의 길이

1. 원의 접선과 반지름

① 원의 접선은 그 접점을 지나는 반지름에 수직이다.

$\Rightarrow \overline{OT} \perp l$

② 원 위의 한 점을 지나고, 그 점을 지나는 반지름에 수직인 직선은 이 원의 접선이다.

2. 원의 접선

① 접선의 길이 : 원 밖의 한 점 P에서 원 O에 접선을 그을 때, 점 P에서 접점에 이르는 거리

② 원 밖의 한 점에서 그 원에 그은 두 접선의 길이는 같다.

$\Rightarrow \overline{PA} = \overline{PB}$

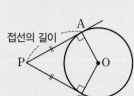

$\overline{AO} = \overline{BO}$, $\angle A = \angle B = 90°$, $\overline{PO}$는 공통이므로 $\triangle OAP \equiv \triangle OBP$

$\therefore \overline{AP} = \overline{BP}$

또, 사각형 OAPB의 네 내각의 합은 $360°$이므로

$\angle P + \angle O = 180°$

---

031 원의 접선의 길이

※ 다음 그림에서 $\overline{PA}$, $\overline{PB}$는 원 O의 접선이고 점 A, B는 접점이다. 옳은 것에는 ○표, 옳지 않은 것에는 ×표 하여라.

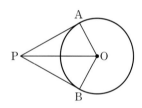

01 $\angle A \neq \angle B$ （　　）

02 $\triangle OAP \equiv \triangle OBP$ （　　）

03 $\overline{AP} \neq \overline{BP}$ （　　）

04 $\angle APO = \angle BPO$ （　　）

05 $\overline{PA}^2 = \overline{PO}^2 - \overline{OA}^2$ （　　）

※ 다음 그림에서 $\overline{PA}$, $\overline{PB}$는 원 O의 접선이고 점 A, B는 접점일 때, $\angle x$의 크기를 구하여라.

06
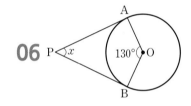

|해설| $\angle OAP = \angle OBP = \boxed{}$이므로

$\angle x + 130° = \boxed{}$ $\therefore \angle x = 50°$

07
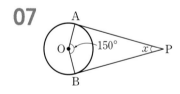

08
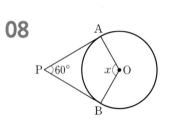

※ 다음 그림에서 $\overline{PT}$는 원 O의 접선이고 점 T는 접점일 때, x의 값을 구하여라.

09

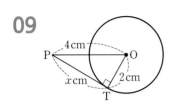

|해설| 직각삼각형 OPT에서 $4^2=\boxed{}^2+x^2$

$x^2=\boxed{}$ ∴ $x=\boxed{}$

10

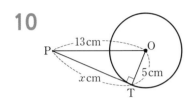

11

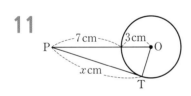

12

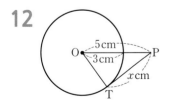

※ 다음 그림에서 $\overline{PT}$는 원 O의 접선이고 점 T는 접점일 때, $\triangle OPT$의 넓이를 구하여라.

13

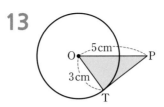

|해설| $\overline{PT}=\sqrt{5^2-3^2}=\boxed{}\,(\text{cm})$

∴ $\triangle OPT=\dfrac{1}{2}\times\boxed{}\times3=\boxed{}\,(\text{cm}^2)$

14

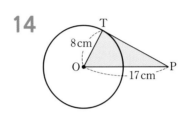

15

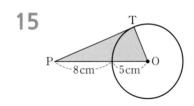

16

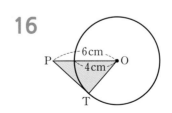

05 삼각형의 내접원

원 O가 △ABC에 내접하고 내접원의 반지름의 길이가 r일 때
1. 원 밖의 한 점에서 그 원에 그은 두 접선의 길이는 서로 같으므로
   $\overline{AD}=\overline{AF}$, $\overline{BD}=\overline{BE}$, $\overline{CE}=\overline{CF}$
2. △ABC의 둘레의 길이
   $a+b+c=2(x+y+z)$
3. △ABC의 넓이
   $\triangle ABC=\dfrac{1}{2}r(a+b+c)$

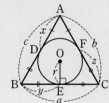

$a=\overline{BC}=y+z$,
$b=\overline{CA}=z+x$,
$c=\overline{AB}=x+y$
이므로
$a+b+c=2(x+y+z)$

유형 032 삼각형의 내접원과 변의 길이

※ 다음 그림에서 원 O가 △ABC에 내접할 때, x의 값을 구하여라.

01

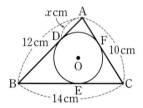

|해설| $\overline{BD}=\overline{BE}=(12-x)$cm,
$\overline{CE}=\overline{CF}=(\boxed{}-x)$cm이므로
$(12-x)+(\boxed{}-x)=14$
$\therefore x=\boxed{}$

02

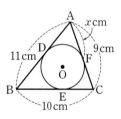

03

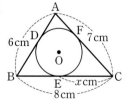

※ 다음 그림에서 원 O가 △ABC에 내접할 때, $x+y+z$의 값을 구하여라.

04

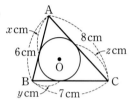

|해설| $x+y+z=\dfrac{1}{2}(\overline{AB}+\overline{BC}+\overline{CA})$
$=\dfrac{1}{2}(\boxed{}+\boxed{}+\boxed{})=\boxed{}$

05

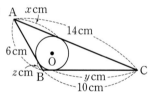

06

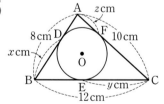

유형 033 직각삼각형의 내접원의 반지름의 길이

※ 다음 그림에서 원 O가 직각삼각형 ABC에 내접할 때, r의 값을 구하여라.

07

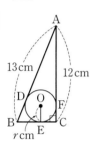

|해설| $\overline{AB}=\sqrt{10^2-8^2}=\boxed{}$ (cm)

□ODBE는 정사각형이므로 $\overline{BD}=r$

$\overline{AD}=\overline{AF}=(\boxed{}-r)$cm, $\overline{CE}=\overline{CF}=(8-r)$cm

$(\boxed{}-r)+(8-r)=\boxed{}$ $\therefore r=\boxed{}$

08

A

13cm 12cm

D O F

B C

E

$r$cm

09

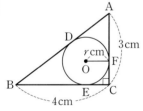

10

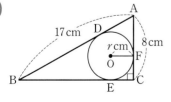

※ 다음 그림에서 원 O가 직각삼각형 ABC에 내접할 때, 원 O의 넓이를 구하여라.

11

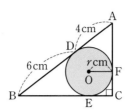

|해설| $\overline{BC}=(6+r)$cm, $\overline{AC}=(4+r)$cm이므로

$(6+r)^2+(4+r)^2=\boxed{}^2$

$r^2+10r-24=0$ $\therefore r=\boxed{}$

$\therefore$ (원 O의 넓이)$=\pi\times\boxed{}^2=\boxed{}\pi(\text{cm}^2)$

12

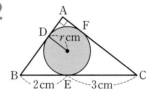

13

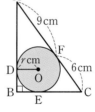

14

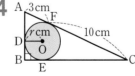

06 외접사각형의 성질

빠른 정답 04쪽 / 친절한 해설 11쪽

한 원 또는 합동인 두 원에서
1. 원에 외접하는 사각형의 두 쌍의 대변의 길이의 합은 같다.
   ⇨ $\overline{AB}+\overline{CD}=\overline{AD}+\overline{BC}$
2. 두 쌍의 대변의 길이의 합이 서로 같은 사각형은 원에 외접한다.

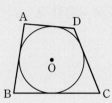

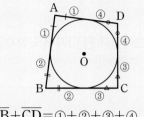

$\overline{AB}+\overline{CD}=①+②+③+④$
$\overline{AD}+\overline{BC}=①+④+②+③$

---

034 외접사각형의 성질

※ 오른쪽 그림에서 원 O가 □ABCD의 내접원일 때, 다음 중 옳은 것에는 ○표, 옳지 않은 것에는 ×표 하여라.

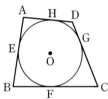

01 $\overline{AE}=\overline{EB}$　　　　　　(　)

02 $\overline{FC}=\overline{CG}$　　　　　　(　)

03 $\overline{BC}=\overline{CD}$　　　　　　(　)

04 $\overline{AB}=\overline{CD}$　　　　　　(　)

05 $\overline{AD}+\overline{DC}=\overline{AB}+\overline{BC}$　　(　)

06 $\overline{AB}+\overline{CD}=\overline{AD}+\overline{BC}$　　(　)

※ 다음 그림에서 원 O가 □ABCD의 내접원일 때, x의 값을 구하여라.

07

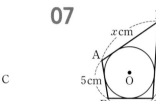

|해설| $\overline{AB}+\overline{DC}=\overline{AD}+\overline{BC}$이므로
$5+\boxed{}=x+\boxed{}$　∴ $x=\boxed{}$

08

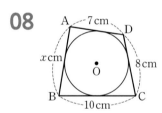

09

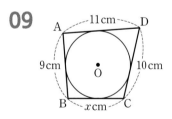

10

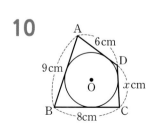

52 Ⅱ. 원의 성질

11

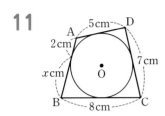

|해설| $\overline{AB}+\overline{DC}=\overline{AD}+\overline{BC}$이므로
$(2+x)+\boxed{}=5+\boxed{}$ ∴ $x=\boxed{}$

12

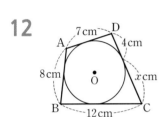

13

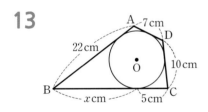

14

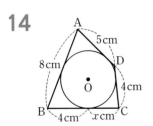

15

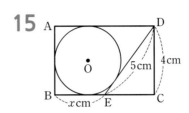

|해설| $\overline{CE}=\sqrt{5^2-4^2}=\boxed{}$ (cm)
$\overline{AD}=\overline{BC}=(x+\boxed{})$ (cm)
$\overline{AB}+\overline{DE}=\overline{AD}+\overline{BE}$이므로
$4+5=(x+\boxed{})+x$ ∴ $x=\boxed{}$

16

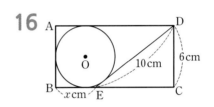

17

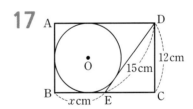

18

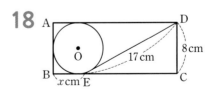

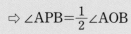 **07 원주각과 중심각의 크기**

1. **원주각** : 원 O에서 호 AB를 제외한 원 위에 한 점 P가 있을 때, ∠APB를 $\widehat{AB}$에 대한 원주각이라고 한다.

2. 한 원에서 한 호에 대한 원주각의 크기는 그 호에 대한 중심각의 크기의 $\frac{1}{2}$이다.

   ⇨ $\angle APB = \frac{1}{2}\angle AOB$

3. 한 호에 대한 중심각은 하나이지만 그 원주각은 무수히 많다.

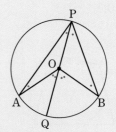

$\overline{OA}=\overline{OP}=\overline{OB}$이므로
∠AOQ=2∠APO,
∠QOB=2∠OPB
∴ ∠AOB=2∠APB

 035 원주각과 중심각의 크기

※ 다음 그림에서 ∠x의 크기를 구하여라.

01

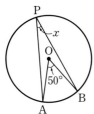

|해설| $\angle APB = \frac{1}{2}\angle AOB$이므로

$\angle x = \boxed{} \times 50° = \boxed{}$

02

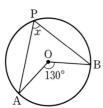

03

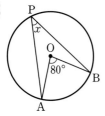

04

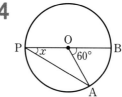

05

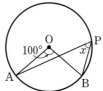

06

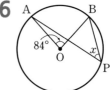

※ 다음 그림에서 ∠x의 크기를 구하여라.

07

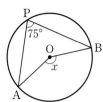

|해설| ∠AOB=□∠APB이므로

∠x=□×75°=□

08

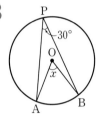

09

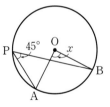

10

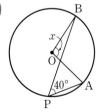

※ 다음 그림에서 ∠x, ∠y의 크기를 각각 구하여라.

11

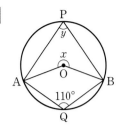

|해설| ∠x=□×110°=□

∠AOB=360°−x=□이므로

∠y=$\frac{1}{2}$×□=□

12

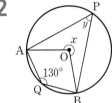

13

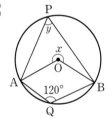

14

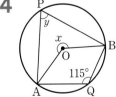

036 원의 접선과 원주각의 크기

※ 다음 그림에서 $\overline{PA}$, $\overline{PB}$가 원 O의 접선일 때, $\angle x$의 크기를 구하여라.

15

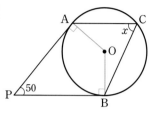

|해설| $\angle PAO = \angle PBO = 90°$이므로

$\angle AOB = \boxed{}$

$\therefore \angle x = \dfrac{1}{2}\angle AOB = \dfrac{1}{2} \times \boxed{} = \boxed{}$

16

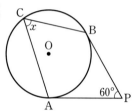

17

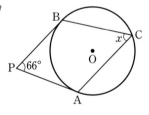

18

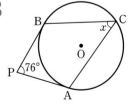

19

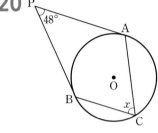

20

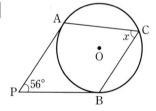

21

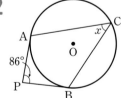

22

08 원주각의 성질

빠른 정답 **04**쪽 / 친절한 해설 **12**쪽

1. 한 원에서 한 호에 대한 원주각의 크기는 모두 같다.
   ⇨ $\angle APB = \angle AQB = \angle ARB$

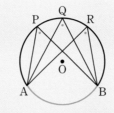

1. 한 호에 대한 원주각은 무수히 많고, 원주각의 크기는 중심각의 크기의 $\frac{1}{2}$이므로 그 크기는 모두 같다.

2. 반원에 대한 원주각의 크기는 90°이다.
   ⇨ $\overline{AB}$가 원 O의 지름이면 $\angle APB = 90°$

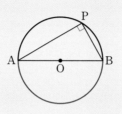

2. 반원에 대한 중심각의 크기는 180°이므로 원주각의 크기는 90°이다.

 037 한 호에 대한 원주각의 크기

※ 다음 그림에서 $\angle x$의 크기를 구하여라.

01

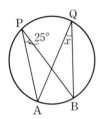

|해설| 한 호에 대한 원주각의 크기는 같으므로
$\angle x = \angle APB = \boxed{}$

02

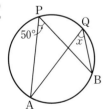

03

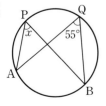

※ 다음 그림에서 $\angle x$, $\angle y$의 크기를 각각 구하여라.

04

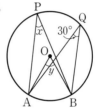

|해설| $\angle x = \angle AQB = \boxed{}$
$\angle y = \boxed{} \times 30° = \boxed{}$

05

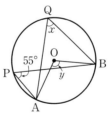

06

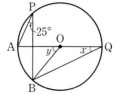

※ 다음 그림에서 $\overline{AB}$가 원 O의 지름일 때, $\angle x$의 크기를 구하여라.

07

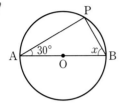

|해설| $\overline{AB}$는 원 O의 지름이므로 $\angle APB=\boxed{}$

$\angle x=180\degree-(30\degree+\boxed{})=\boxed{}$

08

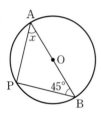

09

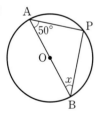

10

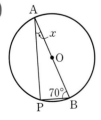

11

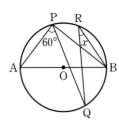

|해설| $\angle APB=\boxed{}$이므로

$\angle QPB=90\degree-\boxed{}=\boxed{}$

$\angle x=\angle QPB=\boxed{}$

12

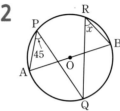

13

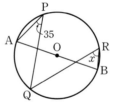

14

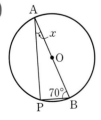

09 원주각의 크기와 호의 길이

빠른 정답 04쪽 / 친절한 해설 12쪽

한 원 또는 합동인 두 원에서
1. 길이가 같은 호에 대한 원주각의 크기는 같다.
 ⇨ $\overset{\frown}{AB}=\overset{\frown}{CD}$이면 ∠APB=∠CQD
2. 크기가 같은 원주각에 대한 호의 길이는 같다.
 ⇨ ∠APB=∠CQD이면 $\overset{\frown}{AB}=\overset{\frown}{CD}$
3. 원주각의 크기와 호의 길이는 정비례한다.
 ⇨ ∠APB : ∠CQD=$\overset{\frown}{AB}$: $\overset{\frown}{CD}$

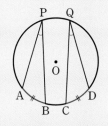

한 원 또는 합동인 두 원에서 길이가 같은 호에 대한 중심각의 크기가 같고 원주각의 크기는 중심각의 크기의 $\frac{1}{2}$ 이므로 길이가 같은 호에 대한 원주각의 크기는 같다.

 039 길이가 같은 호에 대한 원주각의 크기

※ 다음 그림에서 ∠x의 크기를 구하여라.

01

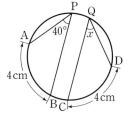

|해설| $\overset{\frown}{AB}=\overset{\frown}{CD}$이므로 ∠$x$=∠APB= ☐

02

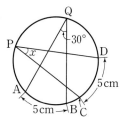

03

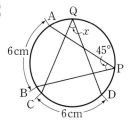

04

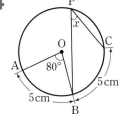

|해설| $\overset{\frown}{AB}=\overset{\frown}{BC}$이므로
 ∠x=$\frac{1}{2}$∠AOB= ☐

05

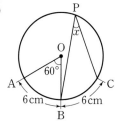

06

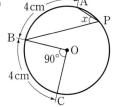

040 원주각의 크기와 호의 길이 (1)

※ 다음 그림에서 ∠x의 크기를 구하여라.

07

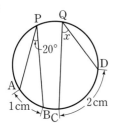

|해설| $\widehat{AB} = \widehat{CD} = 1 : 2$이므로

$1 : 2 = \boxed{} : \angle x$ ∴ $\angle x = \boxed{}$

08

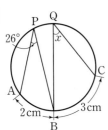

09

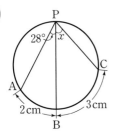

10

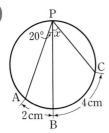

11

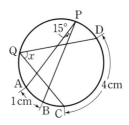

12

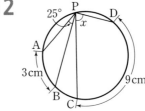

13

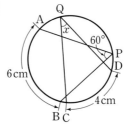

14

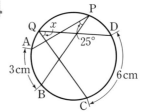

※ 원 O에 내접하는 △ABC에 대한 호의 길이의 비가 다음과 같을 때, ∠A, ∠B, ∠C의 크기를 각각 구하여라.

15 $\widehat{AB} : \widehat{BC} : \widehat{CA} = 6 : 1 : 2$

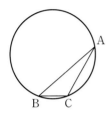

|해설| $\angle A = \dfrac{1}{6+1+2} \times 180° = \boxed{}$

$\angle B = \dfrac{\boxed{}}{6+1+2} \times 180° = \boxed{}$

$\angle C = \dfrac{\boxed{}}{6+1+2} \times 180° = \boxed{}$

16 $\widehat{AB} : \widehat{BC} : \widehat{CA} = 1 : 3 : 5$

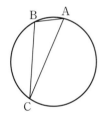

17 $\widehat{AB} : \widehat{BC} : \widehat{CA} = 3 : 4 : 5$

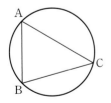

18 $\widehat{AB} : \widehat{BC} : \widehat{CA} = 4 : 3 : 2$

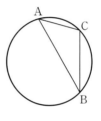

19 $\widehat{AB} : \widehat{BC} : \widehat{CA} = 7 : 3 : 2$

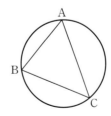

20 $\widehat{AB} : \widehat{BC} : \widehat{CA} = 4 : 5 : 6$

10 네 점이 한 원 위에 있을 조건 - 원주각

빠른 정답 04쪽 / 친절한 해설 13쪽

두 점 C, D가 직선 AB에 대하여 같은 쪽에 있고 ∠ACB＝∠ADB이면 네 점 A, B, C, D는 한 원 위에 있다.

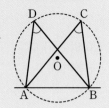

네 점 A, B, C, D가 한 원에 있음을 보이려면 □ABCD의 한 변을 공통변으로 하는 2개의 삼각형에서 대각의 크기가 같음을 보인다.

유형 042 네 점이 한 원 위에 있을 조건

※ 다음 그림에서 네 점 A, B, C, D가 한 원 위에 있으면 ○표, 아니면 ×표 하여라.

01 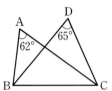　　　　(　　)

02 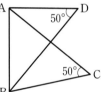　　　　(　　)

03 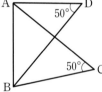　　　　(　　)

04 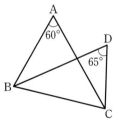　　　　(　　)

05　　　　(　　)

06　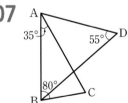　　(　　)

07　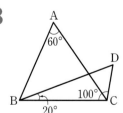　　(　　)

08　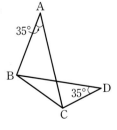　　(　　)

※ 다음 그림에서 네 점 A, B, C, D가 한 원 위에 있도록 하는 ∠x의 크기를 구하여라.

09

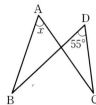

10

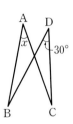

11

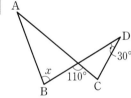

|해설| 삼각형의 한 외각의 크기는 두 내각의 크기의 합과 같으므로 ∠C=☐이다.

∠x=∠C=☐

12

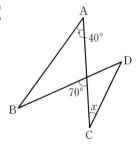

13

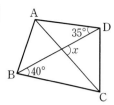

|해설| ∠ACB=∠ADB이어야 하므로 ∠ACB=☐

∠x=40°+☐=☐

14

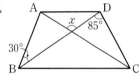

15

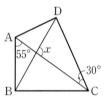

|해설| ∠BDC=☐ 이어야 하므로

∠x+55°+30°=☐ ∴ ∠x=☐

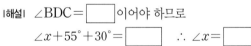

16

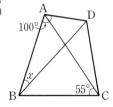

1. 원에 내접하는 사각형의 한 쌍의 대각의 크기의 합은 $180°$
이다.
   ⇨ $\angle A + \angle C = 180°$
   $\angle B + \angle D = 180°$

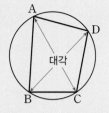

2. 원에 내접하는 사각형의 한 외각의 크기는 그 내대각의
크기와 같다.
   ⇨ $\angle DCE = \angle A$

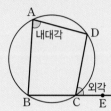

한 원을 2개의 원호로 나누었을 때, 이
들 2개의 원호에 대한 중심각의 크기의
합은 $360°$이다.
따라서 이들 2개의 원호에 대한 원주각
의 크기의 합은 $180°$이다.
즉, 원에 내접하는 사각형의 대각선으
로 주어진 원을 2개의 부분으로 나누어
보면 원에 내접하는 한 쌍의 대각의 크
기의 합은 $180°$임을 알 수 있다.

 043 원에 내접하는 사각형의 성질

※ 다음 그림에서 □ABCD가 원에 내접할 때, $\angle x$, $\angle y$의
크기를 각각 구하여라.

01

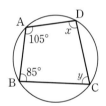

|해설| $85° + \angle x = \boxed{}$, $\boxed{} + \angle y = 180°$이므로

$\angle x = \boxed{}$, $\angle y = \boxed{}$

02

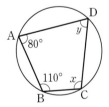

03

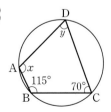

※ 다음 그림에서 □ABCD가 원에 내접할 때, $\angle x$, $\angle y$의
크기를 각각 구하여라.

04

|해설| $\angle x = 180° - (45° + 30°) = \boxed{}$

$\angle y = 180° - \angle x = \boxed{}$

05

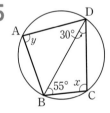

06

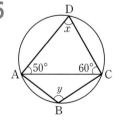

※ 다음 그림에서 □ABCD가 원에 내접할 때, ∠x의 크기를 구하여라.

07

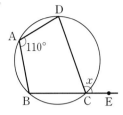

|해설| 원에 내접하는 사각형의 한 외각의 크기는 그 내대각의 크기와 같으므로

$$\angle x = \angle A = \boxed{}$$

08

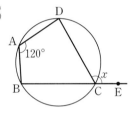

09

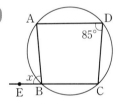

10

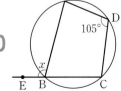

※ 다음 그림에서 □ABCD가 원에 내접할 때, ∠x의 크기를 구하여라.

11

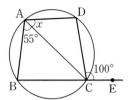

|해설| $55° + \angle x = \boxed{}$ ∴ $\angle x = \boxed{}$

12

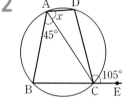

13

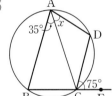

14

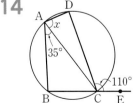

12 사각형이 원에 내접하기 위한 조건

1. 한 쌍의 대각의 크기의 합이 180°인 사각형은 원에 내접한다.
   ⇨ ∠x + ∠y = 180°일 때, □ABCD는 원에 내접한다.
2. 한 외각의 크기가 그 내대각의 크기와 같은 사각형은 원에 내접한다.
   ⇨ ∠x = ∠z일 때, □ABCD는 원에 내접한다.

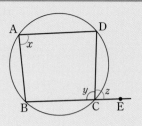

원에 내접하는 사각형의 한 쌍의 대각의 크기의 합은 180°이고 ∠BCE는 평각(180°)이므로 ∠DCE = ∠A

044 사각형이 원에 내접하기 위한 조건

※ 다음 그림에서 □ABCD가 원에 내접하면 ○표, 내접하지 않으면 ×표 하여라.

01 (   )

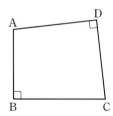

02 (   )

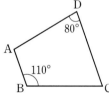

03 (   )

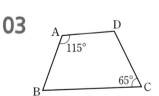

04 (   )

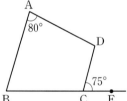

05 (   )

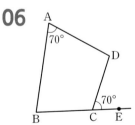

06 (   )

※ 다음 그림에서 ∠x의 크기를 구하여라.

07

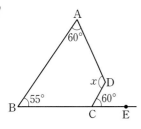

|해설| ∠BAD＝∠DCE이므로
□ABCD는 원에 내접한다.
∴ ∠x＝180°－□＝□

08

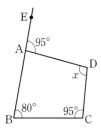

09

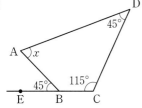

10

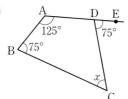

11

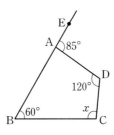

|해설| ∠B＋∠D＝60°＋120°＝□이므로
□ABCD는 원에 내접한다.
∴ ∠x＝□

12

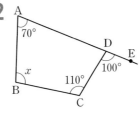

13

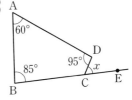

14

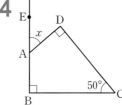

13 접선과 현이 이루는 각

1. 접선과 현이 이루는 각

원의 접선과 그 접점을 지나는 현이 이루는
각의 크기는 그 각의 내부에 있는 호에 대한
원주각의 크기와 같다.

⇨ ∠BAT＝∠BCA

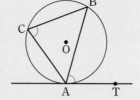

2. 접선이 되기 위한 조건

원 O에서 ∠BAT＝∠BCA이면 직선 AT는 원 O의 접선이다.

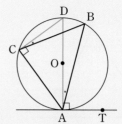

그림과 같이 원의 중심 O를 지나는 선분 AD
를 그으면 ∠DCA＝∠DAT＝90°이고
$\widehat{BD}$에 대한 원주각의 크기에서
∠DAB＝∠DCB이므로 ∠BAT＝∠BCA

045 접선과 현이 이루는 각

※ 다음 그림에서 직선 AT가 원의 접선일 때, ∠x의 크기
를 구하여라.

01

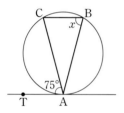

|해설| ∠x＝∠CAT＝ □

02

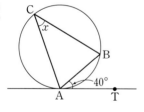

03

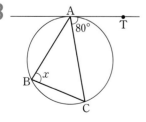

04

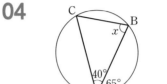

|해설| ∠x＝∠CAT＝180°－(40°＋ □)＝ □

05

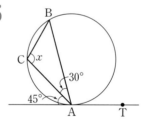

06

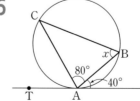

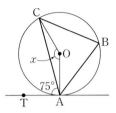

046 접선과 현이 이루는 각과 중심각 (1)

※ 다음 그림에서 직선 AT가 원 O의 접선일 때, ∠x의 크기를 구하여라.

07

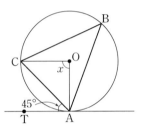

|해설| ∠CBA=∠CAT=□ 이므로

∠x=2∠CBA=2×□=□

08

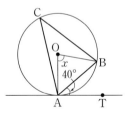

09

10

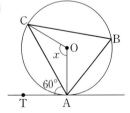

11

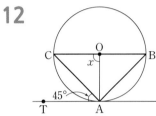

12

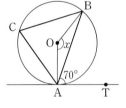

13

14

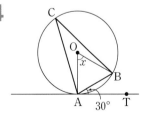

※ 다음 그림에서 직선 PC는 원 O의 접선이고 점 T가 그 접점이다. $\overline{PB}$가 원 O의 중심을 지날 때, $\angle x$의 크기를 구하여라.

15

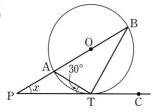

|해설| $\overline{AB}$가 원 O의 지름이므로 $\angle ATB=$ ▢ 이고

$\angle ABT=\angle ATP=$ ▢

$\triangle PBT$에서

$\angle x=180°-\{30°+($ ▢ $+90°)\}=$ ▢

16

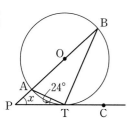

17

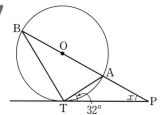

18

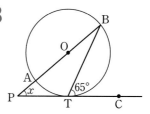

|해설| $\overline{AB}$가 원 O의 지름이므로 선분 AT를 그으면

$\angle ATB=$ ▢

$\angle BTC=\angle$ ▢ $=65°$

$\triangle PBT$에서

$\angle PBT=\angle ATP=180°-(90°+$ ▢ $)=$ ▢

$\angle x+$ ▢ $=65°$이므로 $\angle x=$ ▢

19

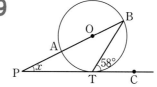

20

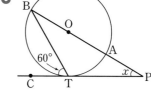

14 두 원에서 접선과 현이 이루는 각

빠른 정답 05쪽 / 친절한 해설 13쪽

두 원이 한 점 T에서 만나면 다음이 성립한다.

∠BAT = ∠DCT, $\overleftrightarrow{AB}$ ∥ $\overleftrightarrow{CD}$ ($\overleftrightarrow{PQ}$는 공통접선, 점 T는 접점)

1.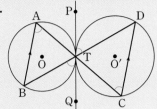

2.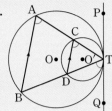

왼쪽 그림과 같이 두 원이 한 점 T에서 접하면

1. 원에서 접선과 현이 이루는 각의 성질에 의해

∠BAT = ∠BTQ
        = ∠DTP (맞꼭지각)
        = ∠DCT

엇각의 크기가 같으므로

$\overleftrightarrow{AB}$ ∥ $\overleftrightarrow{CD}$

2. ∠BTQ는 공통이므로
∠A = ∠C 동위각의 크기가 같으므로 $\overleftrightarrow{AB}$ ∥ $\overleftrightarrow{CD}$

048 두 원에서 접선과 현이 이루는 각

※ 다음 그림에서 직선 PQ가 두 원의 공통접선일 때, ∠x의 크기를 구하여라.

01

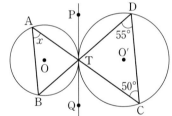

|해설| ∠x = ∠BTQ = ∠DTP = ∠DCT = ☐

02

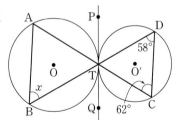

03

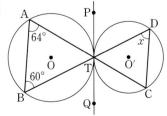

04

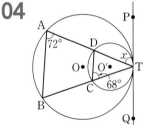

|해설| ∠x = ∠DCT = ☐

05

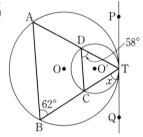

06

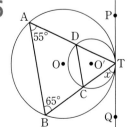

Ⅱ. 원의 성질

기본 개념 CHECK

1. 중심각과 현, 호의 길이

한 원 또는 합동인 두 원에서

(1) 크기가 같은 두 중심각에 대한 호의 길이와 현의 길이는 각각 같다.

(2) 길이가 같은 두 호 또는 두 현에 대한 중심각의 크기는 **❶** .

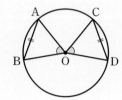

개념 Window

2. 현의 수직이등분선

(1) 원의 중심에서 현에 내린 수선은 그 현을 이등분한다. 즉,

$\overline{OH} \perp \overline{AB}$이면 $\overline{AH} =$ **❷**

(2) 원에서 현의 수직이등분선은 그 원의 중심을 지난다.

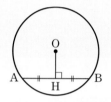

$\triangle OAH$와 $\triangle OBH$에서
$\angle OHA = \angle OHB = 90°$
$\overline{OA} = \overline{OB}$ (반지름)
$\overline{OH}$는 공통인 변
$\therefore \triangle OAH \equiv \triangle OBH$

3. 현의 길이

한 원 또는 합동인 두 원에서

(1) 원의 중심으로부터 같은 거리에 있는 두 현의 길이는 같다. 즉,

$\overline{OM} = \overline{ON}$이면 $\overline{AB} =$ **❸**

(2) 길이가 같은 두 현은 원의 중심으로부터 같은 거리에 있다. 즉,

$\overline{AB} = \overline{CD}$이면 $\overline{OM} =$ **❹**

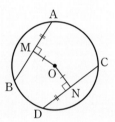

4. 원의 접선의 길이

(1) 원의 접선과 반지름

① 원의 접선은 그 접점을 지나는 반지름에 **❺** 이다. 즉,

$\overline{OT} \perp l$

② 원 위의 한 점을 지나고, 그 점을 지나는 반지름에 수직인 직선은 이 원의 접선이다.

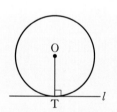

(2) 원의 접선

원 밖의 한 점에서 그 원에 그은 두 접선의 길이는 같다. 즉,

$\overline{PA} = \overline{PB}$

접선의 길이

① 접선의 길이 : 원 밖의 한 점 P
에서 원 O에 접선을 그을 때,
점 P에서 접점에 이르는 거리

② $\angle P + \angle O = 180°$

5. 삼각형의 내접원

원 O가 $\triangle ABC$에 내접하고 내접원의 반지름의 길이가 r일 때

(1) 원 밖의 한 점에서 그 원에 그은 두 접선의 길이는 서로 같으므로

$\overline{AD} = \overline{AF}, \overline{BD} = \overline{BE}, \overline{CE} =$ **❻**

(2) $a + b + c = 2(x + y + z)$

(3) $\triangle ABC = \dfrac{1}{2} r ($ **❼** $)$

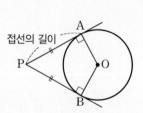

❶ 같다 **❷** $\overline{BH}$ **❸** $\overline{CD}$ **❹** $\overline{ON}$ **❺** 수직 **❻** $\overline{CF}$ **❼** $a+b+c$

6. 외접사각형의 성질

한 원 또는 합동인 두 원에서

(1) 원에 외접하는 사각형의 두 쌍의 대변의 길이의 합은 **❽**.

(2) 두 쌍의 대변의 길이의 합이 서로 같은 사각형은 원에 외접한다.

$\overline{AB}+\overline{CD}=\overline{AD}+\overline{BC}$

7. 원주각과 그 성질

(1) 원주각 : 원 O에서 호 AB에 속하지 않는 원 위의 한 점을 P라고 할 때, ∠APB를 호 AB에 대한 원주각이라고 한다.

(2) 원주각과 중심각의 크기 : 원에서 한 호에 대한 모든 원주각의 크기는 일정하고 그 크기는 중심각의 크기의 **❾** 이다.

(3) 반원에 대한 원주각의 크기는 **❿** 이다.

(4) 원주각의 크기와 호의 길이 : 한 원 또는 합동인 두 원에서

① 길이가 같은 호에 대한 원주각의 크기는 같다. 즉,

$\overset{\frown}{AB}=\overset{\frown}{CD}$이면 ∠APB=∠ **⓫**

② 크기가 같은 원주각에 대한 호의 길이는 같다. 즉,

∠APB=∠CQD이면 $\overset{\frown}{AB}=\overset{\frown}{CD}$

③ 원주각의 크기와 호의 길이는 정비례한다.

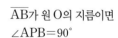

$\overline{AB}$가 원 O의 지름이면
∠APB=90°

8. 원과 사각형

(1) 네 점이 한 원 위에 있을 조건

두 점 C, D가 직선 AB에 대하여 같은 쪽에 있고

∠ACB=∠ **⓬** 이면 네 점 A, B, C, D는 한 원 위에 있다.

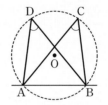

(2) 원에 내접하는 사각형의 성질

① 원에 내접하는 사각형에서 한 쌍의 대각의 크기의 합은 180°이다.

② 원에 내접하는 사각형에서 한 외각의 크기는 그 내대각의 크기와 같다. 즉, ∠DCE=∠A

(3) 사각형이 원에 내접하기 위한 조건

① 한 쌍의 대각의 크기의 합이 **⓭** 인 사각형은 원에 내접한다.

② 한 외각의 크기가 그 내대각의 크기와 같은 사각형은 한 원에 내접한다.

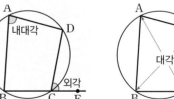

9. 접선과 현이 이루는 각의 크기

원의 접선과 그 접점에서 그은 현이 이루는 각의 크기는 이 각의 내부에 있는 호에 대한 원주각의 크기와 같다. 즉,

∠BAT=∠ **⓮**

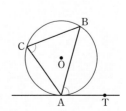

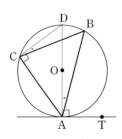

❽ 같다 ❾ $\frac{1}{2}$ ❿ 90° ⓫ CQD ⓬ ADB ⓭ 180° ⓮ BCA

빅데이터

3년 전 미국 실리콘밸리에서 처음 등장한 용어로, 빅데이터 분석가라는 직업에 관심이 모아지고 있다.

빅 데이터 생성 속도

- 하루 **250경** 바이트 비정형 정보
- 매달 **10억**여 개 트윗
- 매달 **300억**여 개 페이스북 메시지
- **1조** 대 이상 모바일 기기로 가속화

Data modeler
$**97,250** - $**134,250**

JOB DUTIES

- Analyze organizational requirements, create data flow models
- Interview project stakeholders, make recommendations
- Help ensure availability of data reporting
- Address data quality issues with clients, management

데이터 모델러(Data Modeler)

뛰어난 데이터 분석과 문제해결 능력이 필수로 요구되며, 의사소통 능력이 뛰어나야 한다. 미국의 경우 대졸 초임으로 1억을 넘게 받는다.

나이팅게일

백의의 천사 나이팅게일은 영국 군대와 도시의 위생 문제를 개선하기 위해 통계를 적극적으로 사용하여 42%의 사망률을 2%로 줄였다.

왜?
빅데이터가
주목받고 있는가?
그 답은 바로

방대한 통계 자료 분석으로
사람들의 소비 패턴을 알 수 있기 때문

오늘도 우리는 엄청난 빅데이터(Big Data)를 만들었다. 학교에 오면서 버스를 탔고, 스마트 폰으로 통화도 하고 SNS도 했다. 검색도 하고 길찾기도 하고 웹툰도 보고 게임도 했다. 이러한 접속 정보는 통신사와 포털 사이트의 서버에 고스란히 기록이 되는데 빅데이터 전문가들은 이러한 정보를 놓치지 않고 분석한다. SNS로 주고받은 문자나 몇 개의 키워드로 연령별, 남녀별 관심 성향을 파악할 수도 있고 사람들의 행동 패턴을 예측할 수도 있다. 사람들의 행동 패턴을 예측한다는 것은 새로운 사업, 안정적 사업을 가능케 한다.

현대적인 통계조사는 1662년 존 그랜트라는 상인이 런던에서 처음으로 실시했는데, 그는 조사를 통해 얻은 이득을 이렇게 적고 있다.

"성별, 출신지, 연령, 종교, 직업, 사회적 지위, 신분 등에 따른 인구 분포 현황을 알게 되었고, 그것을 활용한다면 무역이나 공공 업무를 훨씬 분명하고 질서정연하게 처리할 수 있다는 사실을 알게 되었다. 앞서 말한 사람들의 분포 현황을 잘 알고 있다면 그들이 무엇을 소비할지도 알 수 있을 것이고, 따라서 아예 가망성이 없는 곳에서 새로운 사업을 시작하는 시행착오를 겪지 않을 것이기 때문이다."

이처럼 잘 정리된 통계 자료는 우리에게 미래를 들여다볼 수 있는 눈을 제공한다.

III. 통계
1. 대표값과 산포도
2. 산점도와 상관관계

학습 목표

1. 중앙값, 최빈값, 평균의 의미를 이해하고, 이를 구할 수 있다.

2. 분산과 표준편차의 의미를 이해하고, 이를 구할 수 있다.

3. 산점도에서 범위에 해당하는 것을 구할 수 있고, 산점도의 두 변량 사이의 관계를 파악한다.

 **01 중앙값**

1. **대푯값** : 자료의 중심 경향을 하나의 수로 나타낸 값으로 평균, 중앙값, 최빈값 등이 있다.
2. **중앙값** : 자료를 작은 값부터 크기순으로 나열하였을 때, 가운데 위치한 값
   ① 자료의 개수가 홀수인 경우에는 가운데 위치한 자료의 값
      ⓔ 2, 3, 7, 9, 12의 중앙값은 7이다.
   ② 자료의 개수가 짝수인 경우에는 가운데 위치한 두 자료의 평균
      ⓔ 2, 6, 9, 11, 19, 30의 중앙값은 9와 11의 평균인 10이다.

[중앙값 구하기]
(i) 주어진 자료를 작은 값부터 크기순으로 나열한다.
(ii) 자료의 개수가
   홀수이면 ⇨ 가운데 있는 값
   짝수이면 ⇨ 가운데 있는 두 자료의 평균

 049 중앙값 구하기

※ 다음 변량들의 중앙값을 구하여라.

01
| 5, 2, 7, 4, 3 |

|해설| 크기순으로 나열하면 2, 3, 4, 5, 7이므로 중앙에 오는 중앙값은 ☐이다.

02
| 14, 20, 18, 16, 17 |

03
| 67, 72, 71, 68, 69 |

04
| 23, 38, 10, 22, 37 |

05
| 7, 2, 4, 1, 6, 1, 9 |

06
| 29, 46, 50, 20, 25, 33, 44 |

07
| 8, 9, 6, 5, 3, 1, 9, 2, 4 |

 학교시험 필수예제

08 다음은 학생 5명의 몸무게를 나타낸 것이다. 중앙값은?

(단위 : kg)

| 43, 39, 45, 67, 56 |

① 39 kg　　② 43 kg　　③ 45 kg
④ 56 kg　　⑤ 67 kg

※ 다음 변량들의 중앙값을 구하여라.

09

| 7, 4, 8, 5, 3, 9 |

|해설| 크기순으로 나열하면 3, 4, 5, 7, 8, 9이므로 중앙에 있는
두 값은 5, 7이다.
따라서 중앙값은 5, 7의 평균인

$$\frac{5+\boxed{}}{2}=\boxed{}$$

10

| 12, 5, 8, 10, 7, 15 |

11

| 8, 4, 5, 7, 7, 4 |

12

| 10, 2, 4, 4, 6, 9 |

13

| 37, 17, 34, 36, 31, 36 |

050 중앙값이 주어졌을 때 변량 구하기

※ 다음은 자료를 크기순으로 나열한 것이다. 이 자료의 중앙값이 [ ] 안의 수와 같을 때, x의 값을 구하여라.

14 $[5]$

| 1, 4, x, 9 |

|해설| 자료의 개수가 짝수이므로 중앙에 있는 두 값 4, x의 평균이 중앙값 5이다.

$$\frac{4+x}{\boxed{}}=5 \quad \therefore x=\boxed{}$$

15 $[23]$

| 13, x, 27, 30 |

16 $[22]$

| 12, 13, 21, x, 23, 24 |

17 $[71]$

| 63, 68, x, 72, 75, 80 |

02 최빈값

빠른 정답 05쪽 / 친절한 해설 14쪽

1. 최빈값 : 자료의 값 중에 가장 많이 나타나는 값
① 자료의 값 중에서 도수가 가장 큰 값이 여러 개 있으면 그 값이 모두 최빈값이다.
　　예 3, 3, 4, 4, 5, 7의 최빈값은 3, 4이다.
② 각 자료의 값의 도수가 모두 같으면 최빈값은 없다.
　　예 2, 3, 9, 6, 8, 10의 최빈값은 없다.
2. 최빈값의 특징
① 자료의 수가 많은 경우에는 평균이나 중앙값보다 구하기 쉽다.
② 자료에 따라 존재하지 않을 수도 있고 두 개 이상일 수도 있다.
③ 자료의 수 적은 경우에는 자료의 중심 경향을 잘 반영하지 못할 수도 있다.

자료가 숫자가 아니어도 최빈값을 생각할 수 있다. 자료에서 도수가 가장 큰 것을 찾는다.
예 사과, 배, 배, 감, 포도의 최빈값은 배이다.

유형 051 최빈값

※ 다음 변량들의 최빈값을 구하여라.

01
7, 2, 3, 5, 6, 3

|해설| 7, 2, 5, 6은 도수가 1이고 3은 도수가 2이므로 가장 많이 나타난 값, 즉 최빈값은 □이다.

02
10, 23, 24, 23, 25, 15

03
9, 5, 9, 5, 9

04
13, 17, 12, 12, 15, 10, 13, 12

05
3, 6, 9, 12, 3, 6

|해설| 도수가 가장 큰 값은 3과 □이므로 최빈값은 3과 □이다.

06
9, 3, 4, 2, 2, 8, 4

07
4, 8, 1, 7, 3, 1, 8

08
12, 8, 2, 4, 1, 7

03 평균

평균 : 변량의 총합을 변량의 개수로 나눈 값

$$(평균) = \frac{(변량의 총합)}{(변량의 개수)}$$

n개의 변량 x_1, x_2, x_3, $\cdots$, x_n의 평균을 m이라고 하면

$$m = \frac{x_1 + x_2 + x_3 + \cdots + x_n}{n}$$

052 평균

※ 다음 변량들의 평균을 구하여라.

01

1, 8, 2, 9

|해설| 변량은 1, 8, 2, 9의 4개이고,

$$(평균) = \frac{(변량)의 총합}{(변량)의 개수}$$ 이므로

$$\frac{1 + \square + 2 + \square}{4} = \frac{\square}{4} = \square$$

02

10, 20, 70, 80

03

1, 4, 8, 10, 11, 14

04

20, 30, 40, 50, 60, 70, 80

05

4, 8, 3, 5, 4, 7, 4

06

4, 8, 5, 5, 3, 5, 8, 10

07

5, 6, 7, 5, 10, 6, 1, 2, 3, 5

053 평균이 주어졌을 때 변량 구하기

※ 다음 변량들의 평균이 [ ] 안의 수와 같을 때, x의 값을 구하여라.

08 [6]

$$9, \ 5, \ x, \ 4$$

|해설| 변량이 4개이고, 평균이 6이다.

$(\text{평균}) = \dfrac{(\text{변량})의\ 총합}{(\text{변량})의\ 개수}$ 에서

$\dfrac{9+5+x+4}{4} = \boxed{}$ 이므로

$18+x = \boxed{}$ $\therefore x = \boxed{}$

09 [65]

$$50, \ 40, \ 80, \ x$$

10 [5]

$$8, \ 6, \ 2, \ x, \ 5$$

11 [60]

$$64, \ x, \ 57, \ 53, \ 66$$

12 [28]

$$23, \ 26, \ 32, \ x, \ 29$$

13 [30]

$$35, \ x, \ 25, \ 34, \ 29$$

14 [4]

$$x, \ 5, \ 4, \ 1, \ 3, \ 2$$

15 [6]

$$9, \ 2, \ 8, \ x, \ 9, \ 4, \ 8, \ 7$$

유형 054 부분의 평균이 주어졌을 때 전체 평균 구하기

※ 두 변량 a, b의 평균이 5일 때, 다음 변량들의 평균을 구하여라.

16

$$5,\ a,\ b$$

|해설| a, b의 평균이 5이므로

$$\frac{a+b}{\boxed{}}=5 \quad \therefore a+b=\boxed{}$$

따라서 5, a, b의 평균은

$$\frac{5+a+b}{3}=\frac{5+\boxed{}}{3}=\boxed{}$$

17

$$8,\ a,\ 6,\ b$$

18

$$2a+1,\ 2b+3$$

|해설| a, b의 평균이 5이므로

$$\frac{a+b}{2}=\boxed{} \quad \therefore a+b=\boxed{}$$

따라서 $2a+1$, $2b+3$의 평균은

$$\frac{(2a+1)+(2b+3)}{2}=\frac{2(a+b)+\boxed{}}{2}$$

$$=\frac{2\times\boxed{}+\boxed{}}{2}=\boxed{}$$

※ 세 변량 x, y, z의 평균이 6일 때, 다음 변량들의 평균을 구하여라.

19

$$8,\ x,\ y,\ z,\ 2$$

20

$$x,\ y,\ z,\ 9,\ 7,\ 8$$

21

$$3x+3,\ 3y+2,\ 3z+1$$

 **04 편차**

1. **산포도** : 자료들이 대푯값을 중심으로 흩어져 있는 정도를 하나의 수로 나타낸 값
   ① 산포도가 작으면 자료들이 대푯값 주위에 모여 있음을 나타낸다.
   ② 산포도가 크면 자료들이 대푯값으로부터 멀리 흩어져 있음을 나타낸다.
2. **편차** : 어떤 자료가 있을 때, 각 변량에서 평균을 뺀 값
   (편차)=(변량)−(평균)
   ① 편차의 총합은 항상 0이다.
   ② 평균보다 큰 변량의 편차는 양수이고, 평균보다 작은 변량의 편차는 음수이다.
   ③ 편차의 절댓값이 클수록 평균에서 멀리 떨어져 있다.

편차의 총합은 항상 0이므로 편차의 합으로는 변량들이 흩어져 있는 정도를 알 수 없다.

유형 055 평균이 주어졌을 때의 편차

※ 다음 주어진 자료의 평균이 [ ] 안의 수와 같을 때, 표를 완성하여라.

01 [5]

변량	2	3	8	7
편차	−3		3	

|해설| (편차)=(변량)−(평균)이므로
첫 번째 빈칸은 $3-5=\boxed{}$
두 번째 빈칸은 $7-5=\boxed{}$

02 [40]

변량	15	50	75	20
편차	−25		35	

03 [10]

변량	8	10	9	13
편차	−2			

04 [15]

변량	15	5			
편차	0	−10	15	5	−10

05 [9]

변량			7		
편차	4	−4	−2	0	2

06 [5]

변량	2			7		
편차	−3	3	4	2	−4	−2

07 [20]

변량	20			23	17	15
편차	0	−5	10	3		

※ 다음 표에서 a의 값을 구하여라.

08

변량	0	9	3	8
편차		a		

|해설| $(평균)=\dfrac{0+9+3+8}{\boxed{}}=\dfrac{20}{\boxed{}}=\boxed{}$ 이므로

$(편차)=(변량)-(평균)$에서

$a=9-\boxed{}=\boxed{}$

09

변량	15	65	80	40
편차	a			

10

변량	8	4	1	7	5
편차			a		

11

변량	25	16	35	64	10
편차				a	

※ 다음 표를 완성하여라.

12

변량	3	6	20	15	1
편차					

|해설| $(평균)=\dfrac{3+6+20+15+1}{\boxed{}}=\dfrac{45}{\boxed{}}=\boxed{}$ 이므로

$(편차)=(변량)-(평균)$임을 이용하여 표의 빈칸을 채우면 된다.

13

변량	12	15	17	18	13
편차					

14

변량	35	46	44	25	50
편차					

15

변량	36	48	32	24	35	5
편차						

057 편차의 성질

※ 다음 표에서 a의 값을 구하여라.

16

변량	A	B	C	D
편차	-1	a	-3	2

|해설| 편차의 총합은 0이므로

$(-1)+a+(-3)+2=0$

$\therefore a=\boxed{}$

17

변량	A	B	C	D
편차	1	2	a	3

18

변량	A	B	C	D
편차	a	-5	2	-3

19

변량	A	B	C	D
편차	-3	20	-12	a

20

변량	A	B	C	D	E
편차	-3	5	a	2	-4

21

변량	A	B	C	D	E
편차	3	a	-2	5	-1

22

변량	A	B	C	D	E	F
편차	-3	7	-6	4	a	2

23

변량	A	B	C	D	E	F
편차	a	-20	10	9	-7	5

학교시험 필수예제

24 변량 5개에 대한 편차가 각각 5, 7, -12, 1, a일 때 a의 값은?

① -1 ② -1 ③ 0

④ 1   ⑤ 2

05 분산과 표준편차

1. **분산** : 각 편차의 제곱의 합을 전체 변량의 개수로 나눈 값, 즉 편차의 제곱의 평균

$$(분산) = \frac{(편차)^2의 \ 총합}{(변량의 \ 개수)}$$

2. **표준편차** : 분산의 음이 아닌 제곱근

$$(표준편차) = \sqrt{(분산)}$$

참고 ① 자료의 분산 또는 표준편차가 작을수록 자료가 평균을 중심으로 몰려 있음을 뜻한다. 즉 자료의 분포가 고르다고 할 수 있다.

② 표준편차는 주어진 자료와 같은 단위를 쓴다. 분산은 단위를 쓰지 않는다.

[표준편차를 구하는 순서]
① 자료의 평균을 구한다.
② 각 변량의 편차를 구한다.
③ 편차의 제곱의 총합을 구한다.
④ ③에서 구한 총합을 도수의 총합으로 나누어 분산을 구한다.
⑤ 분산의 음이 아닌 제곱근을 구하면 표준편차를 얻는다.

유형 058 편차가 주어질 때의 분산, 표준편차

※ 표의 변량의 분산, 표준편차를 다음 순서로 구하여라.

01

변량	A	B	C	D
편차	2	−2	−2	2

(1) (편차)² 의 총합

|해설| $((편차)^2의 \ 총합) = 2^2 + (-2)^2 + (-2)^2 + \square^2$
$\qquad = \square$

(2) 분산

|해설| $(분산) = \dfrac{(편차)^2의 \ 총합}{(변량의 \ 개수)} = \dfrac{\square}{4} = \square$

(3) 표준편차

|해설| $(표준편차) = \sqrt{(분산)} = \square$

02

변량	A	B	C	D
편차	2	0	2	−4

(1) (편차)² 의 총합

(2) 분산

(3) 표준편차

03

변량	A	B	C	D	E
편차	6	−1	−3	0	−2

(1) (편차)² 의 총합

(2) 분산

(3) 표준편차

04

변량	A	B	C	D	E	F
편차	4	−2	−2	−4	2	2

(1) (편차)² 의 총합

(2) 분산

(3) 표준편차

059 편차의 성질을 이용한 분산, 표준편차

※ 표의 변량의 분산, 표준편차를 다음 순서로 구하여라.

05

변량	A	B	C	D
편차	1	a	-3	-1

(1) a의 값

|해설| 편차의 총합은 0이므로

$1+a+(-3)+(-1)=0$ $\therefore a=\boxed{}$

(2) (편차)^2 의 총합

|해설| $1^2+a^2+(-3)^2+(-1)^2=\boxed{}$

(3) 분산

|해설| (분산)$=\dfrac{(편차)^2의\ 총합}{(변량의\ 개수)}=\dfrac{\boxed{}}{4}=\boxed{}$

(4) 표준편차

|해설| (표준편차)$=\sqrt{(분산)}=\sqrt{\boxed{}}$

06

변량	A	B	C	D
편차	-2	0	a	4

(1) a의 값

(2) (편차)^{2}의 총합

(3) (분산)

(4) 표준편차

07

변량	A	B	C	D	E
편차	5	a	-3	1	-2

(1) a의 값

(2) (편차)^{2}의 총합

(3) (분산)

(4) 표준편차

08

변량	A	B	C	D	E	F
편차	2	-4	-1	-2	a	4

(1) a의 값

(2) (편차)^{2}의 총합

(3) (분산)

(4) 표준편차

 학교시험 필수예제

09 다음 표는 5명의 학생의 몸무게의 편차를 나타낸 것이다. 학생 B의 몸무게와 표준편차를 차례로 구하여라. (단, 몸무게의 평균은 50kg이다.)

학생	A	B	C	D	E
편차(kg)	-1	x	6	3	-7

유형 060 평균, 분산, 표준편차

※ 다음 자료들의 평균, 분산, 표준편차를 각각 구하여라.

10
$$2, \ 8, \ 5, \ 6, \ 4$$

(1) 평균

|해설| $(평균) = \dfrac{2+8+5+6+4}{\boxed{}} = \boxed{}$

(2) 분산

|해설| $(분산) = \dfrac{1}{5}\{(2-\boxed{})^2 + (8-5)^2 + (5-5)^2$
$\qquad\qquad\qquad + (6-5)^2 + (4-5)^2\}$
$\qquad\quad = \dfrac{\boxed{}}{5} = \boxed{}$

(3) 표준편차

|해설| $(표준편차) = \sqrt{\boxed{}} = \boxed{}$

11
$$12, \ 13, \ 15, \ 16, \ 19$$

(1) 평균

(2) 분산

(3) 표준편차

12
$$27, \ 33, \ 29, \ 31, \ 20$$

(1) 평균

(2) 분산

(3) 표준편차

13
$$7, \ 8, \ 9, \ 10, \ 11, \ 12, \ 13$$

(1) 평균

(2) 분산

(3) 표준편차

학교시험 필수예제

14 4개의 변량 $x-4$, $x-1$, $x+4$, $x+1$의 표준편차를 구하여라.

유형 **061** 평균이 주어질 때 표준편차 구하기

유형 **062** 평균, 분산, 표준편차의 성질

※ 주어진 자료들의 평균이 [ ] 안의 수와 같을 때, 이 자료들의 표준편차를 구하여라.

15 [5]

$$7, \ x, \ 9, \ 3$$

|해설| 평균이 5이므로

$$\frac{7+x+9+3}{4}=5 \quad \therefore x=1$$

$$(분산)=\frac{(7-5)^2+(1-5)^2+(9-5)^2+(3-5)^2}{4}$$

$$=\frac{\boxed{}}{4}=\boxed{}$$

$$(표준편차)=\boxed{}$$

16 [12]

$$9, \ 15, \ x, \ 13, \ 11$$

17 [15]

$$x, \ 20, \ 16, \ 18, \ 7$$

※ 다음 설명 중 옳은 것에는 ○표, 옳지 않은 것에는 ×표 하여라.

18 평균은 유일한 대푯값이다. ( )

19 편차의 제곱의 합은 분산이다. ( )

20 편차의 합은 0이 아닐 때도 있다. ( )

21 (편차)=(평균)−(변량)이다. ( )

22 편차의 평균으로 산포도를 알 수 없다. ( )

23 표준편차는 분산의 음의 제곱근이다. ( )

24 분산이 클수록 자료의 분포가 고르다. ( )

06 산점도

산점도 : 두 변량 x, y의 관계를 알아보기 위하여 순서쌍 (x, y)를 좌표평면 위에 점으로 나타낸 그림

📺 학생 5명의 수학 성적, 영어 성적을 나타낸 표이다.

영어(점)	20	60	80	70	40
수학(점)	70	50	90	50	60

위의 표를 산점도로 나타내면

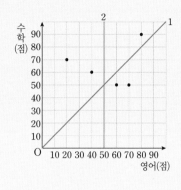

1. 두 변량을 비교할 땐, 산점도의 그래프에 대각선을 긋는다.

(1) 영어 성적이 수학 성적보다 높은 학생은 2명이다.
   (대각선의 아래쪽 : $x > y$)

(2) 영어 성적보다 수학 성적이 높은 학생은 3명이다.
   (대각선의 위쪽 : $x < y$)

2. 이상과 이하를 물을 땐,

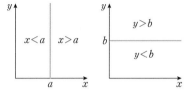

(1) 영어 성적이 50점 이하인 학생은 2명이다.

(2) 수학 성적이 50점 이상인 학생은 5명이다.

유형 063 산점도 그리기

[01~02] 표를 보고 산점도를 그려라.

01

몸무게(kg)	45	50	55	60	65	70
키(cm)	160	155	170	165	175	170

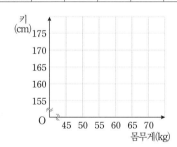

02

국어 성적(점)	70	90	60	80	50
수학 성적(점)	70	50	80	70	40

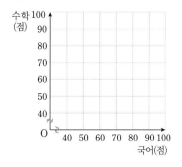

유형 064 산점도 분석

[03~04] 다음 표는 어느 반 학생 12명의 수학 성적과 과학 성적을 나타낸 것이다. 다음 물음에 답하여라.

수학 성적(점)	30	70	60	90	70	50
과학 성적(점)	40	50	80	80	70	60
수학 성적(점)	100	80	90	80	90	40
과학 성적(점)	100	90	100	70	90	40

03 수학 성적과 과학 성적에 대한 산점도를 그려라.

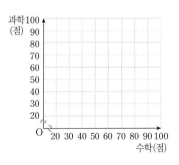

04 과학 점수가 수학 점수보다 높은 학생은 몇 명인지 구하여라.

[05~09] 다음은 어느 반 학생 8명의 하루 동안의 게임 시간과 공부 시간을 조사하여 나타낸 표이다. 다음 물음에 답하여라.

게임(분)	80	50	80	100	40	70	60	40
공부(분)	80	30	50	60	40	50	30	60

05 좌표평면 위에 게임 시간과 공부 시간에 대한 산점도를 그려라.

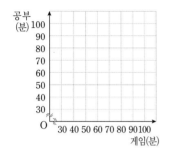

06 게임하는 시간보다 공부하는 시간이 더 많은 학생은 모두 □명이다.

07 게임시간이 50분 이상인 학생은 모두 □명이다.

08 공부시간이 70분 미만인 학생은 모두 □명이다.

09 게임하는 시간과 공부하는 시간이 같은 학생은 전체의 □%이다.

[10~14] 다음은 어느 반 학생 6명의 한 달 용돈과 지출액을 조사하여 나타낸 표이다. 다음 물음에 답하여라.

용돈(만원)	8	5	8	6	10	7
지출액(만원)	7	5	5	6	6	7

10 좌표평면 위에 용돈과 지출액에 대한 산점도를 그려라.

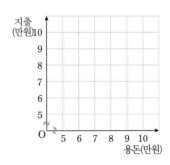

11 지출액이 5만원 이상인 학생은 몇 명인지 구하여라.

12 용돈보다 지출액이 적은 학생은 몇 명인지 구하여라.

13 지출액의 비율이 가장 낮은 학생의 용돈은 얼마인지 구하여라.

14 용돈이 8만원 이상인 학생은 전체의 몇 %인지 구하여라.

[15~17] 다음은 5개의 꽃가게에서 한 달 동안 판매된 장미와 튤립 판매에 관한 표이다. 다음 물음에 답하여라.

장미(송이)	70	100	70	60	110
튤립(송이)	50	60	80	70	80

15 좌표평면 위에 장미와 튤립에 대한 산점도를 그려라.

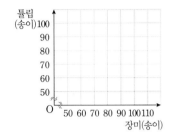

16 장미보다 튤립을 더 많이 판매한 꽃가게의 비율은 전체의 몇 %인지 구하여라.

17 장미를 80송이 이하로 판매한 가게의 비율은 전체의 몇 %인지 구하여라.

[18~22] 다음은 10명의 학생의 일 년 동안 읽은 책의 권 수와 국어 성적에 대한 산점도이다. 물음에 답하여라.

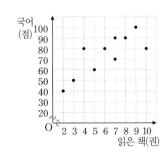

18 책을 6권 이상 읽은 학생의 수를 구하여라.

19 국어 성적이 70점 이상인 학생의 수를 구하여라.

20 책을 5권 이상 읽고 국어 점수가 70점 이상인 학생의 수를 구하여라.

21 책을 8권 이상 읽은 학생은 전체의 몇 %인지 구하여라.

22 책을 4권 이상 읽고 국어 점수가 90점 이하인 학생은 전체의 몇 %인지 구하여라.

 학교시험 필수예제

23 다음 그림은 어느 반 학생 16명의 1, 2차 영어 듣기 평가 성적에 대한 산점도이다. 물음에 답하여라.

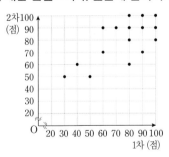

(1) 1, 2차 듣기 평가에서 성적이 모두 80점 이상인 학생은 전체의 몇 %인지 구하여라.

(2) 2차 듣기 영어 평가에서 성적이 60점 이하인 학생들의 1차 영어 듣기 평가 점수의 평균을 구하여라.

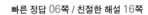

07 산점도와 상관관계

상관관계 : 두 변량 x, y에 대하여 x의 값이 변함에 따라 y의 값이 변하는 관계

(1) 양의 상관관계 : x의 값이 증가함에 따라 y의 값도 대체로 증가하는 관계

(2) 음의 상관관계 : x의 값이 증가함에 따라 y의 값은 대체로 감소하는 관계

(3) 상관관계가 없다 : x의 값이 증가함에 따라 y의 값이 증가 또는 감소하는지 분명하지 않음

참고 두 변량 사이에 양 또는 음의 상관관계가 있는 산점도에서 점들이 한 직선 주위에 가까이 모여 있을수록 상관관계가 강하다(①)고 하고, 흩어져 있을수록 상관관계가 약하다(②)고 한다.

(1) 양의 상관관계
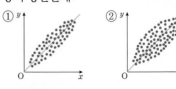

(2) 음의 상관관계
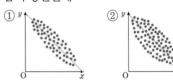

(3) 상관관계가 없다.
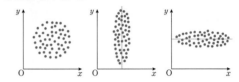

065 상관관계

[01~06] 다음 중 양의 상관관계가 있는 것에는 "양", 음의 상관관계가 있는 것에는 "음", 상관관계가 없는 것에는 ×표 하여라.

01 지능지수와 몸무게 ( )

02 다리길이와 보폭 ( )

03 영어 성적과 체육 성적 ( )

04 짜게 먹는 식습관과 고혈압 ( )

05 기온과 난방비 ( )

06 산의 높이와 기온 ( )

[07~09] 다음 |보기를 보고 물음에 답하여라

┤ 보기 ├
ㄱ. 키와 몸무게
ㄴ. 해발 고도와 기압
ㄷ. 과학 성적과 영어 성적
ㄹ. 수면 시간과 수학 성적
ㅁ. 겨울철 실내 온도와 난방비
ㅂ. 장시간 이어폰으로 음악 감상과 청력

07 대체로 양의 상관관계가 있는 것을 모두 고르면?
⇨ _____

08 대체로 음의 상관관계가 있는 것을 모두 고르면?
⇨ _____

09 상관관계가 없는 것을 모두 고르면?
⇨ _____

[10~12] |보기|의 산점도를 보고 물음에 답하여라.

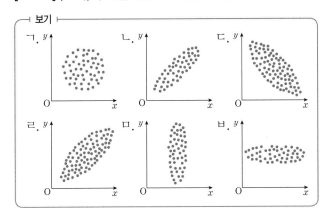

10 음의 상관관계가 있는 그래프 기호를 모두 고르면?

⇨ _____

11 상관관계가 없는 그래프의 기호를 모두 고르면?

⇨ _____

12 가장 약한 양의 상관관계 그래프의 기호를 고르면?

⇨ _____

[13~20] 다음은 10명의 학생에 대한 일 년 동안 읽은 책의 권 수와 국어 성적에 대한 산점도이다. 물음에 답하여라.

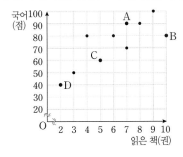

13 책을 6권 이상 읽은 학생의 수를 구하여라.

14 국어 성적이 70점 이상인 학생의 수를 구하여라.

15 책을 5권 이상 읽고, 점수가 70점 이상인 학생의 수를 구하여라.

16 책을 8권 이상 읽은 학생은 전체의 몇 %인지 구하여라.

17 책을 4권 이상 읽고 점수가 90점 이하인 학생은 전체의 몇 %인지 구하여라.

18 읽은 책의 권 수와 국어 성적 사이에는 대체로 [양 / 음]의 상관관계가 있다.

19 B는 읽은 책의 권 수에 비해 국어 성적이 [높은 / 낮은] 편이다.

20 국어 성적이 60점 이상인 학생들이 읽은 책의 권 수의 평균을 구하여라.

[21~23] 다음 그림은 어느 양궁 대회의 1회, 2회 경기에서 선수들이 득점한 점수에 대한 산점도이다. 옳은 문장엔 ○표를, 틀린 문장엔 ×표를 하여라.

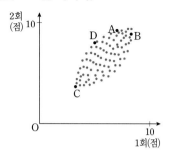

21 1회 경기와 2회 경기는 양의 상관관계가 있다. ( )

22 선수 D는 선수 B보다 2회 경기 성적이 좋다. ( )

23 선수 A와 D는 모두 1회 경기 성적이 더 좋다. ( )

[24~28] 다음 그림은 학생 20명의 수학 성적과 과학 성적에 대한 산점도이다.

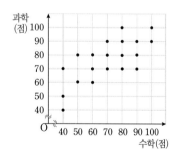

24 수학 성적과 과학 성적 사이에는 대체로 ☐의 상관관계가 있다.

25 과학 성적이 수학 성적보다 높은 학생은 몇 명인지 구하여라.

26 과학 성적이 수학 성적보다 높은 학생은 전체의 몇 %인지 구하여라.

27 두 과목의 성적의 차가 10점인 학생은 몇 명인지 구하여라.

28 두 과목의 성적의 차가 10점인 학생은 전체의 몇 %인지 구하여라.

학교시험 필수예제

29 다음 그림은 어느 반 학생 20명의 키와 몸무게를 조사하여 나타낸 산점도이다. 다음 설명 중 옳지 <u>않은</u> 것은?

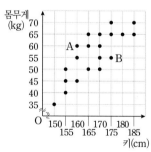

① 키와 몸무게 사이에는 양의 상관관계가 있다.
② B가 A보다 말랐다.
③ 키가 165 cm 이하인 학생의 수는 전체의 50%이다.
④ 몸무게가 55 kg 이상인 학생의 수는 전체의 75%이다.
⑤ 키 170 cm 이상인 학생들의 몸무게의 평균은 62 kg이다.

Ⅲ. 통계

기본 개념 CHECK

1. 대푯값

(1) **❶** ⬜ : 자료의 중심 경향을 하나의 수로 나타낸 값으로 평균, 중앙값, 최빈값 등이 있다.

(2) 일반적으로 주어진 자료가 어떤 값을 중심으로 분포되어 있는지를 나타내는 대푯값으로 자료의 평균을 가장 많이 사용한다.

2. 중앙값

(1) **❷** ⬜ : 자료를 작은 것부터 크기순으로 나열하였을 때, 가운데 위치한 값

(2) 자료의 개수가 홀수인 경우에는 가운데 위치한 자료의 값

　예 2, 3, 7, 9, 12의 중앙값은 7이다.

(3) 자료의 개수가 짝수인 경우에는 가운데 위치한 두 자료의 **❸** ⬜

　예 2, 6, 9, 11, 19, 30의 중앙값은 $\dfrac{9+11}{2}=10$이다.

[중앙값 구하기]
(ⅰ) 주어진 자료를 작은 값부터 크기순으로 나열한다.
(ⅱ) 자료의 개수가
　홀수이면 ⇨ 가운데 있는 값
　짝수이면 ⇨ 가운데 있는 두 자료의 평균

3. 최빈값

(1) **❹** ⬜ : 자료 중 가장 많이 나오는 값

(2) 자료의 값 중에서 도수가 가장 큰 값이 여러 개 있으면 그 값이 모두 최빈값이다.

　예 3, 3, 4, 4, 5, 7의 최빈값은 **❺** ⬜ 이다.

(3) 각 자료의 값의 도수가 모두 같으면 최빈값은 **❻** ⬜ .

　예 2, 3, 9, 6, 8, 10의 최빈값은 없다.

자료가 숫자가 아니어도 최빈값을 생각할 수 있다. 자료에서 도수가 가장 큰 것을 찾는다.
예 사과, 배, 배, 감, 포도의 최빈값은 배이다.

4. 평균

$$(평균)=\frac{(변량의 총합)}{(변량의 개수)}$$

n개의 변량 x_1, x_2, x_3, $\cdots$, x_n의 평균을 m이라고 하면
$$m=\frac{x_1+x_2+x_3+\cdots+x_n}{n}$$

5. 산포도

(1) **❼** ⬜ : 자료들이 대푯값을 중심으로 흩어져 있는 정도를 하나의 수로 나타낸 값

(2) 산포도가 작으면 자료들이 대푯값 주위에 모여 있음을 나타낸다.

(3) 산포도가 크면 자료들이 대푯값으로부터 멀리 흩어져 있음을 나타낸다.

❶ 대푯값　❷ 중앙값　❸ 평균　❹ 최빈값　❺ 3, 4　❻ 없다　❼ 산포도

6. 편차

(1) (편차)＝(**❽**)－(**❾**)

(2) 편차의 총합은 항상 **❿** 이다.

(3) 평균보다 큰 변량의 편차는 양수이고, 평균보다 작은 변량의 편차는 음수이다.

(4) 편차의 절댓값이 클수록 평균에서 멀리 떨어져 있다.

7. 분산

(1) 분산 : 각 편차의 제곱의 합을 전체 변량의 개수로 나눈 값, 즉 **⓫** 의 제곱의 평균

(2) $(분산) = \dfrac{(편차)^2의\ 총합}{(변량의\ 개수)}$

편차의 총합은 항상 0이므로 편차의 합으로는 변량들이 흩어져 있는 정도를 알 수 없다.

8. 표준편차

(1) 표준편차 : 분산의 음이 아닌 **⓬**

(2) $(표준편차) = \sqrt{(분산)}$

(3) 표준편차를 구하는 순서

① 자료의 평균을 구한다.

② 각 변량의 편차를 구한다.

③ 편차의 제곱의 총합을 구한다.

④ ③에서 구한 총합을 도수의 총합으로 나누어 분산을 구한다.

⑤ 분산의 음이 아닌 제곱근을 구하면 표준편차를 얻는다.

자료의 분산 또는 표준편차가 작을수록 자료가 평균을 중심으로 몰려 있음을 뜻한다. 즉 자료의 분포가 고르다고 할 수 있다.

9. 산점도

두 변량 x, y의 관계를 알아보기 위하여 순서쌍 (x, y)를 좌표평면 위에 점으로 나타낸 그림

(1) 양의 상관관계

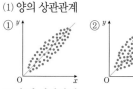

(2) 음의 상관관계

(3) 상관관계가 없다.

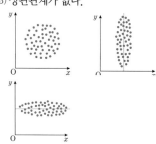

10. 상관관계

두 변량 x, y에 대하여 x의 값이 변함에 따라 y의 값이 변하는 관계

(1) 양의 상관관계 : x의 값이 증가함에 따라 y의 값도 대체로 **⓭** 하는 관계

(2) 음의 상관관계 : x의 값이 증가함에 따라 y의 값은 대체로 감소하는 관계

(3) 상관관계가 **⓮** : x의 값이 증가함에 따라 y의 값이 증가 또는 감소하는지 분명하지 않음

❽ 변량　❾ 평균　❿ 0　⓫ 편차　⓬ 제곱근　⓭ 증가　⓮ 없다

유형 익힘 분석

틀린 문항이 20% 이하이면 ○표, 20%~50% 범위이면 △표, 50% 이상이면 ×표를 하여 결과를 기준으로 나에게 취약한 유형을 파악한 후 관련 개념과 문제를 반드시 복습하고 개념을 완벽히 이해하도록 하세요.

유형No.	유형	총 문항수	틀린 문항수	채점결과
001	삼각비의 뜻	13		○△×
002	삼각비를 이용한 삼각형의 변의 길이 구하기	6		○△×
003	한 삼각비가 주어질 때, 나머지 삼각비의 값	4		○△×
004	직각삼각형의 닮음을 이용한 삼각비의 값	15		○△×
005	직육면체에서의 삼각비	3		○△×
006	특수각의 삼각비	17		○△×
007	특수각의 삼각비를 이용하여 변의 길이 구하기	10		○△×
008	직선의 기울기와 삼각비	7		○△×
009	사분원과 임의의 예각의 삼각비	11		○△×
010	$0°$, $90°$의 삼각비의 값	12		○△×
011	삼각비의 대소 관계	11		○△×
012	삼각비의 표	19		○△×
013	직각삼각형의 변의 길이	12		○△×
014	입체도형에서 직각삼각형의 변의 길이	3		○△×
015	실생활에서 직각삼각형의 변의 길이	3		○△×
016	두 변의 길이와 그 끼인각의 크기가 주어진 경우	7		○△×

유형No.	유형	총 문항수	틀린 문항수	채점결과
017	한 변의 길이와 양 끝각의 크기가 주어진 경우	11		○△×
018	예각삼각형의 높이	6		○△×
019	둔각삼각형의 높이	6		○△×
020	두 변의 끼인각이 예각인 삼각형의 넓이	6		○△×
021	두 변의 끼인각이 둔각인 삼각형의 넓이	8		○△×
022	다각형의 넓이	6		○△×
023	평행사변형의 넓이	6		○△×
024	사각형의 넓이	8		○△×
025	중심각과 현	6		○△×
026	중심각과 호	8		○△×
027	현의 수직이등분선	8		○△×
028	원의 반지름의 길이	4		○△×
029	보조선을 이용한 원의 반지름의 길이	4		○△×
030	현의 길이	14		○△×
031	원의 접선의 길이	16		○△×
032	삼각형의 내접원과 변의 길이	6		○△×

연산으로 마스터하는

중학 수학 **3** (하)

정답 및 해설

연산으로 마스터하는

중학 수학 **3** (하)

01. 삼각비의 뜻 (본문 8쪽)

01 $\dfrac{3}{5}$, $\dfrac{4}{5}$, $\dfrac{3}{4}$

02 $\sin A=\dfrac{5}{13}$, $\cos A=\dfrac{12}{13}$, $\tan A=\dfrac{5}{12}$

03 $\sin A=\dfrac{3}{5}$, $\cos A=\dfrac{4}{5}$, $\tan A=\dfrac{3}{4}$

04 $\sin A=\dfrac{\sqrt{2}}{2}$, $\cos A=\dfrac{\sqrt{2}}{2}$, $\tan A=1$

05 $\sin A=\dfrac{\sqrt{5}}{5}$, $\cos A=\dfrac{2\sqrt{5}}{5}$, $\tan A=\dfrac{1}{2}$

06 $\dfrac{4}{5}$, $\dfrac{3}{5}$, $\dfrac{4}{3}$

07 $\sin C=\dfrac{4}{5}$, $\cos C=\dfrac{3}{5}$, $\tan C=\dfrac{4}{3}$

08 $\sin C=\dfrac{15}{17}$, $\cos C=\dfrac{8}{17}$, $\tan C=\dfrac{15}{8}$

09 $\sin C=\dfrac{12}{13}$, $\cos C=\dfrac{5}{13}$, $\tan C=\dfrac{12}{5}$

10 $\sin C=\dfrac{2\sqrt{5}}{5}$, $\cos C=\dfrac{\sqrt{5}}{5}$, $\tan C=2$

11 $\sin C=\dfrac{\sqrt{2}}{2}$, $\cos C=\dfrac{\sqrt{2}}{2}$, $\tan C=1$

12 $\sin C=\dfrac{3\sqrt{13}}{13}$, $\cos C=\dfrac{2\sqrt{13}}{13}$, $\tan C=\dfrac{3}{2}$

13 $\sin C=\dfrac{\sqrt{3}}{2}$, $\cos C=\dfrac{1}{2}$, $\tan C=\sqrt{3}$

14 $\dfrac{\sqrt{2}}{2}$

15 $\sqrt{6}$

16 6

17 4

18 $\dfrac{4\sqrt{3}}{3}$

19 $\dfrac{3}{2}$

02. 한 삼각비가 주어질 때, 나머지 삼각비의 값 (본문 11쪽)

01 4, $\dfrac{4}{5}$, $\dfrac{3}{4}$

02 $\sin A=\dfrac{\sqrt{3}}{2}$, $\tan A=\sqrt{3}$

03 $\sin A=\dfrac{2\sqrt{13}}{13}$, $\cos A=\dfrac{3\sqrt{13}}{13}$

04 $\cos C=\dfrac{12}{13}$, $\tan C=\dfrac{5}{12}$

03. 직각삼각형의 닮음을 이용한 삼각비의 값 (본문 12쪽)

01 DBA, C, C, $\dfrac{4}{5}$

02 $\dfrac{3}{5}$

03 $\dfrac{4}{3}$

04 $\dfrac{3}{5}$

05 $\dfrac{4}{5}$

06 $\dfrac{3}{4}$

07 5

08 $\dfrac{3}{5}$

09 $\dfrac{4}{5}$

10 $\dfrac{4}{5}$

11 $\dfrac{3}{5}$

12 $\dfrac{15}{17}$

13 $\dfrac{8}{17}$

14 $\dfrac{3\sqrt{10}}{10}$

15 $\dfrac{\sqrt{10}}{10}$

04. 직육면체에서의 삼각비 (본문 14쪽)

01 (1) $4\sqrt{2}$, H, $4\sqrt{2}$, $\dfrac{\sqrt{2}}{2}$

    (2) $4\sqrt{3}$, $4\sqrt{3}$, $\dfrac{\sqrt{3}}{3}$

    (3) $\dfrac{\sqrt{6}}{3}$

02 (1) $\dfrac{\sqrt{2}}{2}$ (2) $\dfrac{\sqrt{3}}{3}$ (3) $\dfrac{\sqrt{6}}{3}$

03 (1) $\dfrac{\sqrt{2}}{2}$ (2) $\dfrac{\sqrt{3}}{3}$ (3) $\dfrac{\sqrt{6}}{3}$

05. 특수각의 삼각비 (본문 15쪽)

01 $\dfrac{\sqrt{2}}{2}$, $\sqrt{2}$

02 $\sqrt{3}$

03 $\dfrac{\sqrt{3}}{6}$

04 $\dfrac{1}{2}$

05 1

06 $\dfrac{\sqrt{6}}{3}$

07 $\sqrt{2}$

08 2

09 45°, 45°

10 30°

11 60°

12 60°

13 45°

14 45°

15 30°

16 60°

17 30°

18 $2\sqrt{3}$, $2\sqrt{3}$, 4

19 4

20 6

21 6

22 $6\sqrt{2}$, 6, 6, $4\sqrt{3}$

23 2

24 $4(\sqrt{3}-1)$

25 $\dfrac{3\sqrt{6}}{2}$

26 $4\sqrt{6}$

27 $2\sqrt{6}$

28 $\dfrac{\sqrt{3}}{3}$

29 1

30 $-\dfrac{\sqrt{3}}{3}$

31 $-\sqrt{3}$

32 $\sqrt{3}$, $\sqrt{3}$

33 $y=x+4$

34 $y=\dfrac{\sqrt{3}}{3}x+1$

06. 사분원과 임의의 예각의 삼각비 (본문 19쪽)

01 ○

02 ×, $\overline{\text{OB}}$, $\overline{\text{OB}}$

03 ×

04 ○

05 ×, $\overline{\text{CD}}$, $\angle y$, y, $\overline{\text{OB}}$

06 ○

07 0.8192

08 0.5736

09 1.4281

10 0.5736

11 0.8192

07. 0°, 90°의 삼각비의 값 (본문 20쪽)

01 0

02 0

03 정할 수 없다.

04 1

05 0

06 1

07 0

08 0

09 1

10 $\dfrac{1}{2}$

11 -1

12 $1-\dfrac{\sqrt{3}}{2}$

08. 삼각비의 대소 관계
(본문 21쪽)

01 $>$

02 $<$

03 $>$

04 $>$

05 $>$

06 $<$

07 $>$

08 $>$

09 $>$

10 $=$

11 $>$

09. 삼각비의 표 (본문 22쪽)

01 0.7771

02 0.7986

03 0.6157

04 0.5878

05 1.2799

06 1.3764

07 $83°$

08 $82°$

09 $82°$

10 $85°$

11 $84°$

12 $84°$

13 0.5736, 5.736

14 3.993

15 5.812

16 7.3884

17 $47°$, $47°$, 0.6820, 68.2

18 75.47

19 144

10. 직각삼각형의 변의 길이
(본문 24쪽)

01 $c \sin B$

02 $c \cos B$

03 $a \tan B$

04 $c \sin A$

05 $c \cos A$

06 $b \tan A$

07 (1) $6\sqrt{2}$ (2) 6

08 (1) 4 (2) $4\sqrt{3}$

09 (1) 10, 8 (2) 10, 6

10 (1) 30 (2) 24.3

11 (1) 6 (2) 5

12 (1) 8 (2) 6

13 3, $3\sqrt{3}$, 3, $3\sqrt{3}$, $27\sqrt{3}$

14 192 cm³

15 $72\sqrt{3}\pi$ cm³

16 1.43, 4.29

17 54.8 m

18 1, 0.58, 15.8

11. 일반 삼각형의 변의 길이 (1)
(본문 27쪽)

01 $4\sqrt{3}$

02 4

03 8

04 $4\sqrt{7}$

05 $\sqrt{21}$

06 5

07 $2\sqrt{21}$

12. 일반 삼각형의 변의 길이 (2)
(본문 28쪽)

01 $4\sqrt{2}$

02 $\dfrac{8\sqrt{6}}{3}$

03 $45°$

04 4

05 $45°$, $45°$, 4, $\dfrac{\sqrt{2}}{2}$, $4\sqrt{2}$

06 $60°$, $60°$, $60°$, 6, $\dfrac{\sqrt{3}}{2}$, $4\sqrt{3}$

07 $2\sqrt{6}$

08 $6\sqrt{2}$

09 $\dfrac{8\sqrt{3}}{3}$

10 $10\sqrt{2}$

11 $2\sqrt{6}$ (cm)

13. 예각삼각형의 높이
(본문 30쪽)

01 $40°$, $50°$, $50°$

02 $55°$, $35°$, $35°$

03 $50°$, $35°$, $50°$, $35°$

04 $2\sqrt{3}-2$

05 $\dfrac{3\sqrt{3}}{2}$

06 $12-4\sqrt{3}$

14. 둔각삼각형의 높이
(본문 31쪽)

01 $40°$, $50°$, $50°$

02 $70°$, $20°$, $20°$

03 $50°$, $20°$, $50°$, $20°$

04 12, 12, 36, 18, 6

05 $15+5\sqrt{3}$

06 $4\sqrt{3}+4$

15. 삼각형의 넓이 (본문 32쪽)

01 $45°$, $\dfrac{\sqrt{2}}{2}$, $12\sqrt{2}$

02 $10\sqrt{3}$

03 6

04 $45°$, $90°$, 1, 50

05 12

06 $5\sqrt{3}$

07 $150°$, $\dfrac{1}{2}$, 14

08 9

09 6

10 21

11 $120°$, $\dfrac{\sqrt{3}}{2}$, 27

12 12

13 $16\sqrt{3}$

14 $25\sqrt{2}$

15 6, $\sin 30°$, 6, $\dfrac{1}{2}$, $\dfrac{21}{2}$

16 $40+3\sqrt{51}$

17 $27\sqrt{3}$

18 4, 4, $\dfrac{\sqrt{3}}{2}$, $24\sqrt{3}$

19 $54\sqrt{3}$

20 $50\sqrt{2}$

16. 사각형의 넓이 (본문 35쪽)

01 $60°$, $\dfrac{\sqrt{3}}{2}$, $24\sqrt{3}$

02 30

03 12

04 56

05 9

06 20

07 $150°$, $\dfrac{1}{2}$, 25

08 35

09 15

10 18

11 $9\sqrt{2}$

12 64

13 10

14 18

Ⅱ. 원의 성질

01. 중심각과 현, 호의 길이
(본문 42쪽)

01 8

02 10

03 15

04 $120°$

05 $80°$

06 $130°$

07 4

08 8

09 12

10 15

11 $50°$

12 $80°$

13 130°

14 100°

02. 현의 수직이등분선
(본문 44쪽)

01 4, 4

02 6

03 7

04 9

05 3, 4, 8

06 16

07 $2\sqrt{11}$

08 $8\sqrt{3}$

09 $\sqrt{41}$

10 5

11 4, 5

12 $\dfrac{5}{2}$

13 2, 2, 4, $\dfrac{13}{4}$

14 15

15 $\dfrac{13}{2}$

16 $\dfrac{15}{2}$

03. 현의 길이 (본문 46쪽)

01 6

02 16

03 10

04 7

05 4

06 8

07 4, 8

08 12

09 $8\sqrt{2}$

10 $4\sqrt{3}$

11 55°, 70°

12 40°

13 70°

14 65°

04. 원의 접선의 길이
(본문 48쪽)

01 ×

02 ○

03 ×

04 ○

05 ○

06 90°, 180°

07 30°

08 120°

09 2, 12, $2\sqrt{3}$

10 12

11 $\sqrt{91}$

12 4

13 4, 4, 6

14 60 cm²

15 30 cm²

16 $4\sqrt{5}$ cm²

05. 삼각형의 내접원 (본문 50쪽)

01 10, 10, 4

02 5

03 $\dfrac{9}{2}$

04 6, 7, 8, $\dfrac{21}{2}$

05 15

06 15

07 6, 6, 6, 10, 2

08 2

09 1

10 3

11 10, 2, 2, 4

12 π cm²

13 9π cm²

14 4π cm²

06. 외접사각형의 성질
(본문 52쪽)

01 ×

02 ○

03 ×

04 ×

05 ×

06 ○

07 10, 6, 9

08 9

09 8

10 5

11 7, 8, 4

12 7

13 20

14 3

15 3, 3, 3, 3

16 4

17 9

18 5

07. 원주각과 중심각의 크기
(본문 54쪽)

01 $\dfrac{1}{2}$, 25°

02 65°

03 40°

04 30°

05 50°

06 42°

07 2, 2, 150°

08 60°

09 90°

10 80°

11 2, 220°, 140°, 140°, 70°

12 50°

13 60°

14 65°

15 130°, 130°, 65°

16 60°

17 57°

18 52°

19 70°

20 66°

21 62°

22 47°

08. 원주각의 성질 (본문 57쪽)

01 25°

02 50°

03 55°

04 30°, 2, 60°

05 $\angle x=55°$, $\angle y=110°$

06 $\angle x=25°$, $\angle y=50°$

07 90°, 90°, 60°

08 45°

09 40°

10 20°

11 90°, 60°, 30°, 30°

12 45°

13 55°

14 40°

09. 원주각의 크기와 호의 길이
(본문 59쪽)

01 40°

02 30°

03 45°

04 40°

05 30°

06 45°

07 20°, 40°

08 39°

09 42°

10 40°

11 60°

12 75°

13 40°

14 50°

15 20°, 2, 40°, 6, 120°

16 $\angle A=60°$, $\angle B=100°$, $\angle C=20°$

17 $\angle A=60°$, $\angle B=75°$, $\angle C=45°$

18 $\angle A=60°$, $\angle B=40°$, $\angle C=80°$

19 $\angle A=45°$, $\angle B=30°$, $\angle C=105°$

20 $\angle A=60°$, $\angle B=72°$, $\angle C=48°$

10. 네 점이 한 원 위에 있을 조건 — 원주각 (본문 62쪽)

01 ×

02 ○

03 ×

04 ○

05 ×

06 ○

07 ×

08 ○

09 55°

10 30°

11 80°, 80°

12 30°

13 35°, 35°, 75°

14 115°

15 55°, 180°, 95°

16 25°

11. 원에 내접하는 사각형의 성질 (본문 64쪽)

01 180°, 105°, 95°, 75°

02 ∠x=100°, ∠y=70°

03 ∠x=110°, ∠y=65°

04 105°, 75°

05 ∠x=95°, ∠y=85°

06 ∠x=70°, ∠y=110°

07 110°

08 120°

09 85°

10 105°

11 100°, 45°

12 60°

13 40°

14 75°

12. 사각형이 원에 내접하기 위한 조건 (본문 66쪽)

01 ○

02 ×

03 ○

04 ○

05 ×

06 ○

07 55°, 125°

08 100°

09 65°

10 55°

11 180°, 85°

12 100°

13 60°

14 50°

13. 접선과 현이 이루는 각 (본문 68쪽)

01 75°

02 40°

03 80°

04 65°, 75°

05 105°

06 60°

07 75°, 75°, 150°

08 90°

09 80°

10 120°

11 156°

12 90°

13 140°

14 60°

15 90°, 30°, 30°, 30°

16 42°

17 26°

18 90°, BAT, 65°, 25°, 25°, 40°

19 26°

20 30°

14. 두 원에서 접선과 현이 이루는 각 (본문 71쪽)

01 50°

02 58°

03 60°

04 68°

05 58°

06 55°

Ⅲ. 통계

01. 중앙값 (본문 76쪽)

01 4

02 17

03 69

04 23

05 4

06 33

07 5

08 ③

09 7, 6

10 9

11 6

12 5

13 35

14 2, 6

15 19

16 23

17 70

02. 최빈값 (본문 78쪽)

01 3

02 23

03 9

04 12

05 6, 6

06 2, 4

07 1, 8

08 최빈값은 없다.

03. 평균 (본문 79쪽)

01 8, 9, 20, 5

02 45

03 8

04 50

05 5

06 6

07 5

08 6, 24, 6

09 90

10 4

11 60

12 30

13 27

14 9

15 1

16 2, 10, 10, 5

17 6

18 5, 10, 4, 10, 4, 12

19 5.6

20 7

21 20

04. 편차 (본문 82쪽)

01 −2, 2

02 10, −20

03 0, −1, 3

04 30, 20, 5

05 13, 5, 9, 11

06 8, 9, 1, 3

07 15, 30, −3, −5

08 4, 4, 5, 5, 4

09 −35

10 −4

11 34

12 −6, −3, 11, 6, −8, 5, 5, 9

13 −3, 0, 2, 3, −2

14 −5, 6, 4, −15, 10

15 6, 18, 2, −6, 5, −25

16 2

17 −6

18 6

19 −5

20 0

21 −5

22 −4

23 3

24 ②

05. 분산과 표준편차 (본문 85쪽)

01 (1) 2, 16 (2) 16, 4 (3) 2

02 (1) 24 (2) 6 (3) $\sqrt{6}$

03 (1) 50 (2) 10 (3) $\sqrt{10}$

04 (1) 48 (2) 8 (3) $2\sqrt{2}$

05 (1) 3 (2) 20 (3) 20, 5 (4) 5

06 (1) −2 (2) 24 (3) 6 (4) $\sqrt{6}$

07 (1) -1 (2) 40 (3) 8
(4) $2\sqrt{2}$

08 (1) 1 (2) 42 (3) 7
(4) $\sqrt{7}$

09 몸무게: $49\,\mathrm{kg}$,
표준편차: $\dfrac{4\sqrt{30}}{5}\,\mathrm{kg}$

10 (1) 5, 5 (2) 5, 20, 4
(3) 4, 2

11 (1) 15 (2) 6 (3) $\sqrt{6}$

12 (1) 28 (2) 20 (3) $2\sqrt{5}$

13 (1) 10 (2) 4 (3) 2

14 $\dfrac{\sqrt{34}}{2}$

15 40, 10, $\sqrt{10}$

16 2

17 $2\sqrt{5}$

18 ×

19 ×

20 ×

21 ×

22 ○

23 ×

24 ×

06. 산점도 (본문 89쪽)

01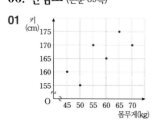

02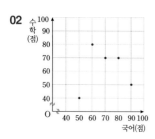

03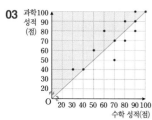

04 5명

05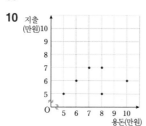

06 1

07 6

08 7

09 25

10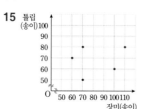

11 6명

12 3명

13 10만원

14 $50\,\%$

15 튤립(송이)... *(산점도 그림)*

16 $40\,\%$

17 $60\,\%$

18 6명

19 7명

20 6명

21 $30\,\%$

22 $70\,\%$

23 (1) $50\,\%$
(2) 50점

07. 산점도와 상관관계 (본문 92쪽)

01 ×

02 양

03 ×

04 양

05 음

06 음

07 ㄱ, ㅁ

08 ㄴ, ㅂ

09 ㄷ, ㄹ

10 ㄷ

11 ㄱ, ㅁ, ㅂ

12 ㄹ

13 6명

14 7명

15 6명

16 $30\,\%$

17 $70\,\%$

18 양

19 낮은

20 7권

21 ○

22 ×

23 ×

24 양

25 10명

26 $50\,\%$

27 8명

28 $40\,\%$

29 ④

I. 삼각비

01. 삼각비의 뜻 (본문 8쪽)

04 $\sin A = \dfrac{1}{\sqrt{2}} = \dfrac{\sqrt{2}}{2}$,

$\cos A = \dfrac{1}{\sqrt{2}} = \dfrac{\sqrt{2}}{2}$, $\tan A = 1$

05 $\sin A = \dfrac{1}{\sqrt{5}} = \dfrac{\sqrt{5}}{5}$,

$\cos A = \dfrac{2}{\sqrt{5}} = \dfrac{2\sqrt{5}}{5}$, $\tan A = \dfrac{1}{2}$

10 $\sin C = \dfrac{2}{\sqrt{5}} = \dfrac{2\sqrt{5}}{5}$,

$\cos C = \dfrac{1}{\sqrt{5}} = \dfrac{\sqrt{5}}{5}$, $\tan C = 2$

11 $\sin C = \dfrac{3}{3\sqrt{2}} = \dfrac{\sqrt{2}}{2}$,

$\cos C = \dfrac{3}{3\sqrt{2}} = \dfrac{\sqrt{2}}{2}$, $\tan C = 1$

12 $\sin C = \dfrac{3}{\sqrt{13}} = \dfrac{3\sqrt{13}}{13}$,

$\cos C = \dfrac{2}{\sqrt{13}} = \dfrac{2\sqrt{13}}{13}$,

$\tan C = \dfrac{3}{2}$

13 $\sin C = \dfrac{5\sqrt{3}}{10} = \dfrac{\sqrt{3}}{2}$,

$\cos C = \dfrac{5}{10} = \dfrac{1}{2}$, $\tan C = \dfrac{5\sqrt{3}}{5} = \sqrt{3}$

15 $\cos A = \dfrac{x}{2\sqrt{2}} = \dfrac{\sqrt{3}}{2}$

$\therefore x = \dfrac{\sqrt{3}}{2} \times 2\sqrt{2} = \sqrt{6}$

16 $\tan A = \dfrac{x}{8} = \dfrac{3}{4}$

$\therefore x = \dfrac{3}{4} \times 8 = 6$

17 $\sin C = \dfrac{x}{6} = \dfrac{2}{3}$

$\therefore x = \dfrac{2}{3} \times 6 = 4$

18 $\cos C = \dfrac{\sqrt{3}}{x} = \dfrac{3}{4}$, $3x = 4\sqrt{3}$

$\therefore x = \dfrac{4\sqrt{3}}{3}$

19 $\tan C = \dfrac{x}{3} = \dfrac{1}{2}$, $2x = 3$

$\therefore x = \dfrac{3}{2}$

02. 한 삼각비가 주어질 때, 나머지 삼각비의 값 (본문 11쪽)

02 $\cos A = \dfrac{1}{2}$이므로 $\overline{AC} = 2$,

$\overline{AB} = 1$인 직각삼각형을 그린다.

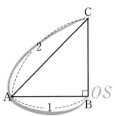

피타고라스 정리에서

$\overline{BC} = \sqrt{2^2 - 1^2} = \sqrt{3}$이므로

$\sin A = \dfrac{\sqrt{3}}{2}$, $\tan A = \sqrt{3}$

03 $\tan A = \dfrac{2}{3}$이므로

$\overline{AB} = 3$, $\overline{BC} = 2$인 직각삼각형을 그린다.

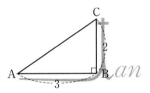

피타고라스 정리에서

$\overline{AC} = \sqrt{3^2 + 2^2} = \sqrt{13}$이므로

$\sin A = \dfrac{2}{\sqrt{13}} = \dfrac{2\sqrt{13}}{13}$

$\cos A = \dfrac{3}{\sqrt{13}} = \dfrac{3\sqrt{13}}{13}$

04 $\sin C = \dfrac{5}{13}$이므로

$\overline{AC} = 13$, $\overline{AB} = 5$인 직각삼각형을 그린다.

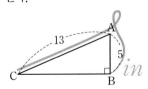

피타고라스 정리에서

$\overline{BC} = \sqrt{13^2 - 5^2} = \sqrt{144} = 12$이므로

$\cos C = \dfrac{12}{13}$, $\tan C = \dfrac{5}{12}$

03. 직각삼각형의 닮음을 이용한 삼각비의 값 (본문 12쪽)

02 △ABC∽△DBA이므로 $\angle x = \angle C$

$\therefore \cos x = \cos C = \dfrac{3}{5}$

03 $\tan x = \tan C = \dfrac{4}{3}$

04 △ABC∽△DAC이므로 $\angle y = \angle B$

$\therefore \sin y = \sin B = \dfrac{3}{5}$

05 $\cos y = \cos B = \dfrac{4}{5}$

06 $\tan y = \tan B = \dfrac{3}{4}$

07 $\overline{BC} = \sqrt{\overline{AB}^2 + \overline{AC}^2} = \sqrt{3^2 + 4^2} = 5$

08 △ABC∽△DBA이므로 $\angle x = \angle C$

$\therefore \sin x = \sin C = \dfrac{3}{5}$

09 △ABC∽△DBA이므로 $\angle x = \angle C$

$\therefore \cos x = \cos C = \dfrac{4}{5}$

10 △ABC∽△DAC이므로 $\angle y = \angle B$

$\therefore \sin y = \sin B = \dfrac{4}{5}$

11 △ABC∽△DAC이므로 $\angle y = \angle B$

$\therefore \cos y = \cos B = \dfrac{3}{5}$

12 △ABC∽△DEC이므로 $\angle x = \angle A$

$\therefore \sin x = \sin A = \dfrac{15}{17}$

13 $\cos x = \cos A = \dfrac{8}{17}$

14 △ABC∽△EBD이므로 $\angle x = \angle C$

$\therefore \sin x = \sin C = \dfrac{3}{\sqrt{10}} = \dfrac{3\sqrt{10}}{10}$

15 $\cos x = \cos C = \dfrac{1}{\sqrt{10}} = \dfrac{\sqrt{10}}{10}$

04. 직육면체에서의 삼각비 (본문 14쪽)

02 (1) $\overline{EG} = 3\sqrt{2}$, △AEG는

$\angle E = 90°$인 직각삼각형이므로

$\tan x = \dfrac{3}{3\sqrt{2}} = \dfrac{\sqrt{2}}{2}$

(2) $\overline{AG} = 3\sqrt{3}$이므로

$\sin x = \dfrac{3}{3\sqrt{3}} = \dfrac{\sqrt{3}}{3}$

(3) $\cos x = \dfrac{3\sqrt{2}}{3\sqrt{3}} = \dfrac{\sqrt{6}}{3}$

03 (1) $\overline{FH} = 8\sqrt{2}$, △BFH는

$\angle F = 90°$인 직각삼각형이므로

$\tan x = \dfrac{8}{8\sqrt{2}} = \dfrac{\sqrt{2}}{2}$

(2) $\overline{BH}=8\sqrt{3}$이므로

$\sin x=\dfrac{8}{8\sqrt{3}}=\dfrac{\sqrt{3}}{3}$

(3) $\cos x=\dfrac{8\sqrt{2}}{8\sqrt{3}}=\dfrac{\sqrt{6}}{3}$

05. 특수각의 삼각비 (본문 15쪽)

02 $\sin 60°+\cos 30°=\dfrac{\sqrt{3}}{2}+\dfrac{\sqrt{3}}{2}=\sqrt{3}$

03 $\sin 60°-\tan 30°=\dfrac{\sqrt{3}}{2}-\dfrac{\sqrt{3}}{3}=\dfrac{\sqrt{3}}{6}$

04 $\tan 45°-\cos 60°=1-\dfrac{1}{2}=\dfrac{1}{2}$

05 $\tan 30°\times\tan 60°=\dfrac{\sqrt{3}}{3}\times\sqrt{3}=1$

06 $\sin 45°\div\cos 30°=\dfrac{\sqrt{2}}{2}\div\dfrac{\sqrt{3}}{2}$

$=\dfrac{\sqrt{2}}{2}\times\dfrac{2}{\sqrt{3}}=\dfrac{\sqrt{6}}{3}$

07 $\tan 45°\div\cos 45°=1\div\dfrac{\sqrt{2}}{2}=\sqrt{2}$

08 $\sqrt{3}\times\dfrac{1}{\tan 60°}+4\sin 30°-\sqrt{2}\cos 45°$

$=\sqrt{3}\times\dfrac{1}{\sqrt{3}}+4\times\dfrac{1}{2}-\sqrt{2}\times\dfrac{\sqrt{2}}{2}$

$=1+2-1=2$

10 $\sin 30°=\dfrac{1}{2}$이므로 $A=30°$

11 $\tan 60°=\sqrt{3}$이므로 $A=60°$

12 $\cos 60°=\dfrac{1}{2}$이므로 $A=60°$

13 $\sin 45°=\dfrac{\sqrt{2}}{2}$이므로 $A=45°$

14 $\tan 45°=1$이므로 $A=45°$

15 $\cos 30°=\dfrac{\sqrt{3}}{2}$이므로 $A=30°$

16 $\sin 60°=\dfrac{\sqrt{3}}{2}$이므로 $A=60°$

17 $\tan 30°=\dfrac{\sqrt{3}}{3}$이므로 $A=30°$

19 $\sin 30°=\dfrac{1}{2}$이므로 $\dfrac{x}{8}=\dfrac{1}{2}$

$\therefore x=4$

20 $\cos 60°=\dfrac{1}{2}$이므로 $\dfrac{3}{x}=\dfrac{1}{2}$

$\therefore x=6$

21 $\cos 45°=\dfrac{\sqrt{2}}{2}$이므로 $\dfrac{3\sqrt{2}}{x}=\dfrac{\sqrt{2}}{2}$

$\therefore x=6$

23 △ADC에서 $\tan 60°=\sqrt{3}$이므로

$\dfrac{\overline{AC}}{1}=\sqrt{3}$ $\therefore \overline{AC}=\sqrt{3}$

△ABC에서 $\tan 30°=\dfrac{\sqrt{3}}{3}$이므로

$\dfrac{\sqrt{3}}{x+1}=\dfrac{\sqrt{3}}{3}$, $x+1=3$ $\therefore x=2$

24 △ADC에서 $\tan 45°=1$이므로

$\dfrac{4}{\overline{DC}}=1$ $\therefore \overline{DC}=4$

△ABC에서 $\tan 30°=\dfrac{\sqrt{3}}{3}$이므로

$\dfrac{4}{\overline{BC}}=\dfrac{\sqrt{3}}{3}$ $\therefore \overline{BC}=4\sqrt{3}$

$\therefore x=\overline{BC}-\overline{DC}=4\sqrt{3}-4$

$=4(\sqrt{3}-1)$

25 △ABC에서 $\cos 30°=\dfrac{\sqrt{3}}{2}$이므로

$\dfrac{\overline{AC}}{6}=\dfrac{\sqrt{3}}{2}$ $\therefore \overline{AC}=3\sqrt{3}$

△DAC에서 $\cos 45°=\dfrac{\sqrt{2}}{2}$이므로

$\dfrac{x}{3\sqrt{3}}=\dfrac{\sqrt{2}}{2}$ $\therefore x=\dfrac{3\sqrt{6}}{2}$

26 △ABC에서 $\tan 60°=\sqrt{3}$이므로

$\dfrac{\overline{BC}}{4}=\sqrt{3}$ $\therefore \overline{BC}=4\sqrt{3}$

△DBC에서 $\sin 45°=\dfrac{\sqrt{2}}{2}$이므로

$\dfrac{4\sqrt{3}}{x}=\dfrac{\sqrt{2}}{2}$ $\therefore x=4\sqrt{6}$

27 △DBC에서 $\tan 30°=\dfrac{\sqrt{3}}{3}$이므로

$\dfrac{4}{\overline{BC}}=\dfrac{\sqrt{3}}{3}$ $\therefore \overline{BC}=4\sqrt{3}$

△ABC에서 $\sin 45°=\dfrac{\sqrt{2}}{2}$이므로

$\dfrac{x}{4\sqrt{3}}=\dfrac{\sqrt{2}}{2}$ $\therefore x=2\sqrt{6}$

29 기울기 $a=\tan 45°=1$

31 기울기 $a=-\tan 60°=-\sqrt{3}$

33 기울기 $a=\tan 45°=1$

y절편 $b=4$ $\therefore y=x+4$

34 기울기 $a=\tan 30°=\dfrac{\sqrt{3}}{3}$

y절편 $b=1$ $\therefore y=\dfrac{\sqrt{3}}{3}x+1$

06. 사분원과 임의의 예각의 삼각비 (본문 19쪽)

03 $\sin y=\dfrac{\overline{OB}}{\overline{OA}}=\overline{OB}$

07. 0°, 90°의 삼각비의 값 (본문 20쪽)

07 $\sin 90°-\cos 0°=1-1=0$

08 $2\tan 0°+\cos 90°=2\times 0+0=0$

09 $2\cos 0°-\tan 45°=2\times 1-1=1$

10 $\sin 90°\times\tan 0°+\cos 60°$

$=1\times 0+\dfrac{1}{2}=\dfrac{1}{2}$

11 $\cos 90°\times\tan 0°-\sin 90°\times\cos 0°$

$=0\times 0-1\times 1=-1$

12 $\sqrt{3}\tan 30°-\sin 90°\times\sin 60°$

$=\sqrt{3}\times\dfrac{\sqrt{3}}{3}-1\times\dfrac{\sqrt{3}}{2}=1-\dfrac{\sqrt{3}}{2}$

09. 삼각비의 표 (본문 22쪽)

14 $\cos 37°=\dfrac{x}{5}=0.7986$

$\therefore x=3.993$

15 $\tan 36°=\dfrac{x}{8}=0.7265$

$\therefore x=5.812$

16 $\sin 38°=\dfrac{x}{12}=0.6157$

$\therefore x=7.3884$

18 $\cos A=\dfrac{65.61}{100}=0.6561$

$\therefore A=49°$

$\sin 49°=\dfrac{x}{100}=0.7547$

$\therefore x=75.47$

19 $\tan A=\dfrac{103.55}{100}=1.0355$

$\therefore A=46°$

$\cos 46°=\dfrac{100}{x}=0.6947$

$\therefore x=144$

10. 직각삼각형의 변의 길이 (본문 24쪽)

07 (1) $\sin 45°=\dfrac{6}{x}$이므로

$x=\dfrac{6}{\sin 45°}$ $\therefore x=6\sqrt{2}$

(2) $\tan 45°=\dfrac{6}{y}$이므로

$$y=\frac{6}{\tan 45°} \quad \therefore y=6$$

08 (1) $\sin 30°=\dfrac{x}{8}$ 이므로

$$x=8\sin 30° \quad \therefore x=4$$

(2) $\cos 30°=\dfrac{y}{8}$ 이므로

$$y=8\cos 30° \quad \therefore y=4\sqrt{3}$$

10 (1) $\cos 70°=\dfrac{9}{x}$ 이므로

$$x=\frac{9}{\cos 70°} \quad \therefore x=30$$

(2) $\tan 70°=\dfrac{y}{9}$ 이므로

$$y=9\tan 70° \quad \therefore y=24.3$$

11 (1) $\sin 31°=\dfrac{3}{x}$ 이므로

$$x=\frac{3}{\sin 31°} \quad \therefore x=6$$

(2) $\tan 31°=\dfrac{3}{y}$ 이므로

$$y=\frac{3}{\tan 31°} \quad \therefore y=5$$

12 (1) $\cos 37°=\dfrac{x}{10}$ 이므로

$$x=10\cos 37° \quad \therefore x=8$$

(2) $\sin 37°=\dfrac{y}{10}$ 이므로

$$y=10\sin 37° \quad \therefore y=6$$

14 $\overline{FG}=8\cos 45°=4\sqrt{2}\,(cm)$

$\overline{CG}=8\sin 45°=4\sqrt{2}\,(cm)$

$\therefore$ (부피) $=4\sqrt{2}\times 4\sqrt{2}\times 6$

$\qquad\qquad =192\,(cm^3)$

15 $\overline{BO}=12\cos 60°=6\,(cm)$

$\overline{AO}=12\sin 60°=6\sqrt{3}\,(cm)$

(원뿔의 부피) $=\dfrac{1}{3}\pi r^2 h$ 이므로

$\therefore$ (부피) $=\dfrac{1}{3}\pi\times 6^2\times 6\sqrt{3}$

$\qquad\qquad =72\sqrt{3}\pi\,(cm^3)$

17 $\tan 70°=\dfrac{\overline{BC}}{20}$

$\therefore \overline{BC}=20\tan 70°$

$\qquad\quad =20\times 2.74=54.8\,(m)$

11. 일반 삼각형의 변의 길이 (1)
(본문 27쪽)

01 $\overline{AH}=8\sin 60°=8\times\dfrac{\sqrt{3}}{2}=4\sqrt{3}$

02 $\overline{CH}=8\cos 60°=8\times\dfrac{1}{2}=4$

03 $\overline{BH}=\overline{BC}-\overline{CH}=12-4=8$

---

04 $\triangle AHB$에서

$\overline{AB}=\sqrt{(4\sqrt{3})^2+8^2}=4\sqrt{7}$

05

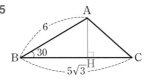

꼭짓점 A에서 $\overline{BC}$에 내린 수선의 발을 H라고 하면

$\overline{AH}=6\sin 30°=3$

$\overline{BH}=6\cos 30°=3\sqrt{3}$

$\overline{CH}=5\sqrt{3}-3\sqrt{3}=2\sqrt{3}$이므로

$\overline{AC}=\sqrt{3^2+(2\sqrt{3})^2}=\sqrt{21}$

06

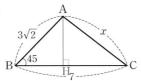

꼭짓점 A에서 $\overline{BC}$에 내린 수선의 발을 H라고 하면

$\overline{AH}=3\sqrt{2}\sin 45°=3$

$\overline{BH}=3\sqrt{2}\cos 45°=3$

$\overline{CH}=7-3=4$이므로

$\overline{AC}=\sqrt{3^2+4^2}=5$

07

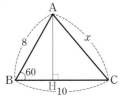

꼭짓점 A에서 $\overline{BC}$에 내린 수선의 발을 H라고 하면

$\overline{AH}=8\sin 60°=4\sqrt{3}$

$\overline{BH}=8\cos 60°=4$

$\overline{CH}=10-4=6$이므로

$\overline{AC}=\sqrt{(4\sqrt{3})^2+6^2}=2\sqrt{21}$

12. 일반 삼각형의 변의 길이 (2)
(본문 28쪽)

01 $\dfrac{\overline{AH}}{\overline{AC}}=\sin 45°$이므로

$\overline{AH}=8\sin 45°=8\times\dfrac{\sqrt{2}}{2}=4\sqrt{2}$

02 $\dfrac{\overline{AH}}{\overline{AB}}=\sin 60°$이므로

$\overline{AB}=4\sqrt{2}\div\dfrac{\sqrt{3}}{2}=\dfrac{8\sqrt{6}}{3}$

04 $\overline{CH}=8\sin 30°=8\times\dfrac{1}{2}=4$

07

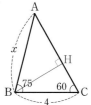

$\angle A=180°-(75°+60°)=45°$

꼭짓점 B에서 $\overline{AC}$에 내린 수선의 발을 H라고 하면

$\overline{BH}=4\sin 60°=4\times\dfrac{\sqrt{3}}{2}=2\sqrt{3}$

$\triangle ABH$에서 $\dfrac{\overline{BH}}{x}=\sin 45°$

$\therefore x=\dfrac{\overline{BH}}{\sin 45°}=2\sqrt{3}\div\dfrac{\sqrt{2}}{2}=2\sqrt{6}$

08

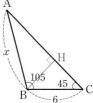

$\angle A=180°-(105°+45°)=30°$

꼭짓점 B에서 $\overline{AC}$에 내린 수선의 발을 H라고 하면

$\overline{BH}=6\sin 45°=6\times\dfrac{\sqrt{2}}{2}=3\sqrt{2}$

$\triangle ABH$에서 $\dfrac{\overline{BH}}{x}=\sin 30°$

$\therefore x=\dfrac{\overline{BH}}{\sin 30°}=3\sqrt{2}\div\dfrac{1}{2}=6\sqrt{2}$

09

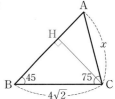

$\angle A=180°-(45°+75°)=60°$

꼭짓점 C에서 $\overline{AB}$에 내린 수선의 발을 H라고 하면

$\overline{CH}=4\sqrt{2}\sin 45°=4\sqrt{2}\times\dfrac{\sqrt{2}}{2}=4$

$\triangle ACH$에서 $\dfrac{\overline{CH}}{x}=\sin 60°$

$\therefore x=\dfrac{\overline{CH}}{\sin 60°}=4\div\dfrac{\sqrt{3}}{2}=\dfrac{8\sqrt{3}}{3}$

10

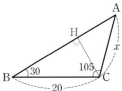

$\angle A=180°-(30°+105°)=45°$

꼭짓점 C에서 $\overline{AB}$에 내린 수선의 발

을 H라고 하면

$\overline{\text{CH}} = 20 \sin 30° = 20 \times \dfrac{1}{2} = 10$

$\triangle \text{ACH}$에서 $\dfrac{\overline{\text{CH}}}{x} = \sin 45°$

$\therefore x = \dfrac{\overline{\text{CH}}}{\sin 45°} = 10 \div \dfrac{\sqrt{2}}{2} = 10\sqrt{2}$

11
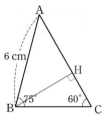

$\angle \text{A} = 180° - (75° + 60°) = 45°$

꼭짓점 B에서 $\overline{\text{AC}}$에 내린 수선의 발을 H라 하면,

$\overline{\text{BH}} = 6 \sin 45°$
$\qquad = 6 \times \dfrac{\sqrt{2}}{2} = 3\sqrt{2}$ (cm)

$\dfrac{\overline{\text{BH}}}{\overline{\text{BC}}} = \sin 60°$**이므로**

$\dfrac{3\sqrt{2}}{\overline{\text{BC}}} = \dfrac{\sqrt{3}}{2}$

$\therefore \overline{\text{BC}} = 2\sqrt{6}$ (cm)

13. 예각삼각형의 높이 (본문 30쪽)

04 $\angle \text{BAH} = 60°$, $\angle \text{CAH} = 45°$이므로

$\overline{\text{BH}} = h \tan 60° = \sqrt{3}h$,
$\overline{\text{CH}} = h \tan 45° = h$
$\sqrt{3}h + h = 4$이므로

$h = \dfrac{4}{\sqrt{3}+1} = 2\sqrt{3} - 2$

05 $\angle \text{BAH} = 30°$, $\angle \text{CAH} = 60°$이므로

$\overline{\text{BH}} = h \tan 30° = \dfrac{\sqrt{3}}{3}h$,
$\overline{\text{CH}} = h \tan 60° = \sqrt{3}h$

$\dfrac{\sqrt{3}}{3}h + \sqrt{3}h = 6$이므로

$h = \dfrac{6}{\dfrac{\sqrt{3}}{3} + \sqrt{3}} = \dfrac{3\sqrt{3}}{2}$

06 $\angle \text{BAH} = 45°$, $\angle \text{CAH} = 30°$이므로

$\overline{\text{BH}} = h \tan 45° = h$,
$\overline{\text{CH}} = h \tan 30° = \dfrac{\sqrt{3}}{3}h$

$h + \dfrac{\sqrt{3}}{3}h = 8$이므로

$h = \dfrac{8}{1 + \dfrac{\sqrt{3}}{3}} = 12 - 4\sqrt{3}$

14. 둔각삼각형의 높이 (본문 31쪽)

05 $h = \dfrac{10}{\tan 45° - \tan 30°} = \dfrac{10}{1 - \dfrac{\sqrt{3}}{3}}$

$\qquad = \dfrac{30}{3 - \sqrt{3}} = 15 + 5\sqrt{3}$

06 $h = \dfrac{8}{\tan 60° - \tan 45°}$

$\qquad = \dfrac{8}{\sqrt{3} - 1} = 4\sqrt{3} + 4$

15. 삼각형의 넓이 (본문 32쪽)

02 $\triangle \text{ABC} = \dfrac{1}{2} \times 8 \times 5 \times \sin 60°$

$\qquad = \dfrac{1}{2} \times 8 \times 5 \times \dfrac{\sqrt{3}}{2} = 10\sqrt{3}$

03 $\triangle \text{ABC} = \dfrac{1}{2} \times 6 \times 4 \times \sin 30°$

$\qquad = \dfrac{1}{2} \times 6 \times 4 \times \dfrac{1}{2} = 6$

05 $\angle \text{B} = 75°$이므로

$\angle \text{A} = 180° - 2 \times 75° = 30°$
$\triangle \text{ABC}$
$\quad = \dfrac{1}{2} \times 4\sqrt{3} \times 4\sqrt{3} \times \sin 30° = 12$

06 $\angle \text{B} = 60°$이므로

$\angle \text{A} = 180° - 2 \times 60° = 60°$
$\triangle \text{ABC} = \dfrac{1}{2} \times 2\sqrt{5} \times 2\sqrt{5} \times \dfrac{\sqrt{3}}{2}$
$\qquad\qquad = 5\sqrt{3}$

08 $\triangle \text{ABC}$

$\quad = \dfrac{1}{2} \times 6 \times 3\sqrt{2} \times \sin(180° - 135°)$

$\quad = \dfrac{1}{2} \times 6 \times 3\sqrt{2} \times \dfrac{\sqrt{2}}{2} = 9$

09 $\triangle \text{ABC}$

$\quad = \dfrac{1}{2} \times 2\sqrt{3} \times 4 \times \sin(180° - 120°)$

$\quad = \dfrac{1}{2} \times 2\sqrt{3} \times 4 \times \dfrac{\sqrt{3}}{2} = 6$

10 $\triangle \text{ABC}$

$\quad = \dfrac{1}{2} \times 7 \times 4\sqrt{3} \times \sin(180° - 120°)$

$\quad = \dfrac{1}{2} \times 7 \times 4\sqrt{3} \times \dfrac{\sqrt{3}}{2} = 21$

12 $\angle \text{C} = 180° - (25° + 20°) = 135°$
이므로

$\triangle \text{ABC} = \dfrac{1}{2} \times 4\sqrt{2} \times 6 \times \dfrac{\sqrt{2}}{2} = 12$

13 $\angle \text{B} = 180° - 2 \times 30° = 120°$이므로

$\triangle \text{ABC} = \dfrac{1}{2} \times 8 \times 8 \times \dfrac{\sqrt{3}}{2} = 16\sqrt{3}$

14 $\angle \text{C} = 180° - 2 \times 22.5° = 135°$이므로

$\triangle \text{ABC} = \dfrac{1}{2} \times 10 \times 10 \times \dfrac{\sqrt{2}}{2} = 25\sqrt{2}$

16 $\square \text{ABCD} = \triangle \text{ABC} + \triangle \text{ACD}$

$\qquad = \dfrac{1}{2} \times 10 \times 8\sqrt{2} \times \sin 45°$

$\qquad\quad + \dfrac{1}{2} \times 2\sqrt{17} \times 6 \times \sin 60°$

$\qquad = 40\sqrt{2} \times \dfrac{\sqrt{2}}{2} + 6\sqrt{17} \times \dfrac{\sqrt{3}}{2}$

$\qquad = 40 + 3\sqrt{51}$

17 $\overline{\text{AC}}$를 그으면

$\square \text{ABCD} = \triangle \text{ABC} + \triangle \text{ACD}$

$\qquad = \dfrac{1}{2} \times 8 \times 10 \times \dfrac{\sqrt{3}}{2}$

$\qquad\quad + \dfrac{1}{2} \times 2\sqrt{7} \times 2\sqrt{7} \times \dfrac{\sqrt{3}}{2}$

$\qquad = 27\sqrt{3}$

19 $6 \times \left(\dfrac{1}{2} \times 6 \times 6 \times \dfrac{\sqrt{3}}{2} \right) = 54\sqrt{3}$

20 정팔각형은 8개의 합동인 삼각형으로 나누어지므로

$8 \times \left(\dfrac{1}{2} \times 5 \times 5 \times \dfrac{\sqrt{2}}{2} \right) = 50\sqrt{2}$

16. 사각형의 넓이 (본문 35쪽)

02 $\square \text{ABCD} = 5 \times 4\sqrt{3} \times \dfrac{\sqrt{3}}{2} = 30$

03 $\square \text{ABCD} = 4 \times 6 \times \dfrac{1}{2} = 12$

04 $\square \text{ABCD} = 8 \times 7\sqrt{2} \times \dfrac{\sqrt{2}}{2} = 56$

05 $\square \text{ABCD} = 6 \times 3 \times \dfrac{1}{2} = 9$

06 $\square \text{ABCD} = 5\sqrt{2} \times 4 \times \dfrac{\sqrt{2}}{2} = 20$

08 $\square \text{ABCD} = \dfrac{1}{2} \times 10 \times 7\sqrt{2} \times \dfrac{\sqrt{2}}{2} = 35$

09 $\square \text{ABCD} = \dfrac{1}{2} \times 5 \times 6\sqrt{2} \times \dfrac{\sqrt{2}}{2} = 15$

10 $\square \text{ABCD} = \dfrac{1}{2} \times 6 \times 4\sqrt{3} \times \dfrac{\sqrt{3}}{2} = 18$

11 $\square \text{ABCD} = \dfrac{1}{2} \times 6 \times 6 \times \dfrac{\sqrt{2}}{2} = 9\sqrt{2}$

12 $\square \text{ABCD} = \dfrac{1}{2} \times 8\sqrt{2} \times 8\sqrt{2} \times 1 = 64$

13 $\square \text{ABCD} = \dfrac{1}{2} \times 4 \times 5 \times 1 = 10$

14 $\square ABCD=\dfrac{1}{2}\times 2\sqrt{6}\times 3\sqrt{6}\times 1=18$

Ⅱ. 원의 성질

02. 현의 수직이등분선 (본문 44쪽)

02 $\overline{AM}=\overline{BM}=6\,\text{cm}$ $\therefore x=6$

03 $\overline{AM}=\overline{BM}=7\,\text{cm}$ $\therefore x=7$

04 $\overline{AM}=\overline{BM}=9\,\text{cm}$ $\therefore x=9$

06 $\overline{AM}=\sqrt{10^2-6^2}=8\,(\text{cm})$
$\therefore x=2\overline{AM}=16$

07 $\overline{BM}=\sqrt{6^2-5^2}=\sqrt{11}\,(\text{cm})$
$\therefore x=2\overline{BM}=2\sqrt{11}$

08 $\overline{AM}=\sqrt{8^2-4^2}=4\sqrt{3}\,(\text{cm})$
$\therefore x=2\overline{AM}=8\sqrt{3}$

09 $5^2+4^2=r^2$ $\therefore r=\sqrt{41}$

10 $3^2+4^2=r^2$ $\therefore r=5$

12 $\overline{OM}=(r-1)\text{cm}$이므로 △OMB에서
$(r-1)^2+2^2=r^2$ $\therefore r=\dfrac{5}{2}$

14
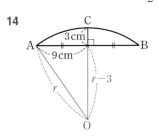
반지름의 길이를 r라 하면
$r^2=(r-3)^2+9^2$
$6r=90$ $\therefore r=15$

15
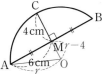
반지름의 길이를 r라 하면
$r^2=(r-4)^2+6^2$
$8r=52$ $\therefore r=\dfrac{13}{2}$

16
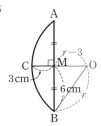
반지름의 길이를 r라 하면

$r^2=(r-3)^2+6^2$
$6r=45$ $\therefore r=\dfrac{15}{2}$

03. 현의 길이 (본문 46쪽)

08 $\overline{DN}=\sqrt{10^2-8^2}=6\,(\text{cm})$이므로
$x=\overline{DC}=2\overline{DN}=12$

09 $\overline{BM}=\sqrt{6^2-2^2}=4\sqrt{2}\,(\text{cm})$이므로
$x=\overline{AB}=2\overline{BM}=8\sqrt{2}$

10 $\overline{DN}=\sqrt{4^2-2^2}=2\sqrt{3}\,(\text{cm})$이므로
$x=\overline{CD}=2\overline{DN}=4\sqrt{3}$

12 $\overline{OM}=\overline{ON}$이므로 $\overline{AB}=\overline{AC}$
△ABC는 이등변삼각형이므로
$\angle x=180°-2\times 70°=40°$

13 $\overline{OM}=\overline{ON}$이므로 $\overline{AB}=\overline{AC}$
△ABC는 이등변삼각형이므로
$\angle x=(180°-40°)\times\dfrac{1}{2}=70°$

14 $\overline{OM}=\overline{ON}$이므로 $\overline{AB}=\overline{AC}$
△ABC는 이등변삼각형이므로
$\angle x=(180°-50°)\times\dfrac{1}{2}=65°$

04. 원의 접선의 길이 (본문 48쪽)

01 $\angle A=\angle B=90°$

07 $150°+\angle x=180°$ $\therefore \angle x=30°$

08 $60°+\angle x=180°$ $\therefore \angle x=120°$

10 직각삼각형 OPT에서 $13^2=5^2+x^2$
$x^2=144$ $\therefore x=12$

11 직각삼각형 OPT에서
$(7+3)^2=3^2+x^2$
$x^2=91$ $\therefore x=\sqrt{91}$

12 직각삼각형 OPT에서 $5^2=3^2+x^2$
$x^2=16$ $\therefore x=4$

14 $\overline{PT}=\sqrt{17^2-8^2}=15\,(\text{cm})$
$\therefore \triangle OPT=\dfrac{1}{2}\times 15\times 8=60\,(\text{cm}^2)$

15 $\overline{PT}=\sqrt{13^2-5^2}=12\,(\text{cm})$
$\therefore \triangle OPT=\dfrac{1}{2}\times 12\times 5=30\,(\text{cm}^2)$

16 $\overline{PT}=\sqrt{6^2-4^2}=2\sqrt{5}\,(\text{cm})$
$\therefore \triangle OPT=\dfrac{1}{2}\times 2\sqrt{5}\times 4$
$\qquad\qquad =4\sqrt{5}\,(\text{cm}^2)$

05. 삼각형의 내접원 (본문 50쪽)

02 $\overline{CE}=\overline{CF}=(9-x)\text{cm}$,

$\overline{BD}=\overline{BE}=(11-x)\text{cm}$이므로
$(9-x)+(11-x)=10$ $\therefore x=5$

03 $\overline{BD}=\overline{BE}=(8-x)\text{cm}$,
$\overline{AD}=\overline{AF}=(7-x)\text{cm}$이므로
$(8-x)+(7-x)=6$ $\therefore x=\dfrac{9}{2}$

05 $x+y+z=\dfrac{1}{2}(6+10+14)=15$

06 $x+y+z=\dfrac{1}{2}(8+10+12)=15$

08 $\overline{BC}=\sqrt{13^2-12^2}=5\,(\text{cm})$
$\overline{BD}=\overline{BE}=(5-r)\text{cm}$,
$\overline{AD}=\overline{AF}=(12-r)\text{cm}$
$(5-r)+(12-r)=13$ $\therefore r=2$

09 $\overline{AB}=\sqrt{4^2+3^2}=5\,(\text{cm})$
$\overline{BD}=\overline{BE}=(4-r)\text{cm}$,
$\overline{AD}=\overline{AF}=(3-r)\text{cm}$
$(4-r)+(3-r)=5$ $\therefore r=1$

10 $\overline{BC}=\sqrt{17^2-8^2}=15\,(\text{cm})$
$\overline{BD}=\overline{BE}=(15-r)\text{cm}$,
$\overline{AD}=\overline{AF}=(8-r)\text{cm}$
$(15-r)+(8-r)=17$ $\therefore r=3$

12 $\overline{AB}=(2+r)\text{cm}$, $\overline{AC}=(3+r)\text{cm}$
이므로
$(2+r)^2+(3+r)^2=5^2$
$r^2+5r-6=0$ $\therefore r=1$
$\therefore$ (원 O의 넓이)$=\pi\times 1^2=\pi\,(\text{cm}^2)$

13 $\overline{AB}=(9+r)\text{cm}$, $\overline{BC}=(6+r)\text{cm}$
이므로
$(9+r)^2+(6+r)^2=15^2$
$r^2+15r-54=0$ $\therefore r=3$
$\therefore$ (원 O의 넓이)$=\pi\times 3^2=9\pi\,(\text{cm}^2)$

14 $\overline{AB}=(3+r)\text{cm}$, $\overline{BC}=(10+r)\text{cm}$
이므로
$(3+r)^2+(10+r)^2=13^2$
$r^2+13r-30=0$ $\therefore r=2$
$\therefore$ (원 O의 넓이)$=\pi\times 2^2=4\pi\,(\text{cm}^2)$

06. 외접사각형의 성질 (본문 52쪽)

08 $x+8=7+10$ $\therefore x=9$

09 $9+10=11+x$ $\therefore x=8$

10 $9+x=6+8$ $\therefore x=5$

12 $8+(4+x)=7+12$ $\therefore x=7$

13 $22+10=7+(x+5)$ $\therefore x=20$

14 $8+4=5+(4+x)$ $\therefore x=3$

16 $\overline{CE}=\sqrt{10^2-6^2}=8\,(\text{cm})$

$\overline{AD}=\overline{BC}=(x+8)(cm)$
$6+10=(x+8)+x$ ∴ $x=4$

17 $\overline{CE}=\sqrt{15^2-12^2}=9(cm)$

$\overline{AD}=\overline{BC}=(x+9)(cm)$

$12+15=(x+9)+x$ ∴ $x=9$

18 $\overline{CE}=\sqrt{17^2-8^2}=15(cm)$

$\overline{AD}=\overline{BC}=(x+15)(cm)$

$8+17=(x+15)+x$ ∴ $x=5$

---

07. 원주각과 중심각의 크기 (본문 54쪽)

02 $\angle x=\dfrac{1}{2}\times130°=65°$

03 $\angle x=\dfrac{1}{2}\times80°=40°$

04 $\angle x=\dfrac{1}{2}\times60°=30°$

05 $\angle x=\dfrac{1}{2}\times100°=50°$

06 $\angle x=\dfrac{1}{2}\times84°=42°$

08 $\angle x=2\times30°=60°$

09 $\angle x=2\times45°=90°$

10 $\angle x=2\times40°=80°$

12 $\angle x=2\times130°=260°$

$\angle AOB=360°-260°=100°$이므로

$\angle y=\dfrac{1}{2}\times100°=50°$

13 $\angle x=2\times120°=240°$

$\angle AOB=360°-240°=120°$이므로

$\angle y=\dfrac{1}{2}\times120°=60°$

14 $\angle x=2\times115°=230°$

$\angle AOB=360°-230°=130°$이므로

$\angle y=\dfrac{1}{2}\times130°=65°$

16 $\angle PAO=\angle PBO=90°$이므로

$\angle AOB=120°$

∴ $\angle x=\dfrac{1}{2}\angle AOB=\dfrac{1}{2}\times120°=60°$

17 $\angle PAO=\angle PBO=90°$이므로

$\angle AOB=114°$

∴ $\angle x=\dfrac{1}{2}\angle AOB=\dfrac{1}{2}\times114°=57°$

18 $\angle PAO=\angle PBO=90°$이므로

$\angle AOB=104°$

∴ $\angle x=\dfrac{1}{2}\angle AOB=\dfrac{1}{2}\times104°=52°$

19 $\angle PAO=\angle PBO=90°$이므로

$\angle AOB=140°$

∴ $\angle x=\dfrac{1}{2}\angle AOB=\dfrac{1}{2}\times140°=70°$

20 $\angle PAO=\angle PBO=90°$이므로

$\angle AOB=132°$

∴ $\angle x=\dfrac{1}{2}\angle AOB=\dfrac{1}{2}\times132°=66°$

21 $\angle PAO=\angle PBO=90°$이므로

$\angle AOB=124°$

∴ $\angle x=\dfrac{1}{2}\angle AOB=\dfrac{1}{2}\times124°=62°$

22 $\angle PAO=\angle PBO=90°$이므로

$\angle AOB=94°$

∴ $\angle x=\dfrac{1}{2}\angle AOB=\dfrac{1}{2}\times94°=47°$

---

08. 원주각의 성질 (본문 57쪽)

02 $\angle x=\angle APB=50°$

03 $\angle x=\angle AQB=55°$

05 $\angle x=\angle APB=55°$

$\angle y=2\times55°=110°$

06 $\angle x=\angle APB=25°$

$\angle y=2\times25°=50°$

08 $\angle APB=90°$이므로

$\angle x=90°-45°=45°$

09 $\angle APB=90°$이므로

$\angle x=90°-50°=40°$

10 $\angle APB=90°$이므로

$\angle x=90°-70°=20°$

12

$\angle APB=90°$이므로

$\angle QPB=90°-45°=45°$

∴ $\angle x=\angle QPB=45°$

13

$\angle APB=90°$이므로

$\angle QPB=90°-35°=55°$

∴ $\angle x=\angle QPB=55°$

14

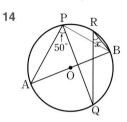

$\angle APB=90°$이므로

$\angle QPB=90°-50°=40°$

∴ $\angle x=\angle QPB=40°$

---

09. 원주각의 크기와 호의 길이
(본문 59쪽)

02 $\overarc{AB}=\overarc{CD}$이므로 $\angle x=\angle AQB=30°$

03 $\overarc{AB}=\overarc{CD}$이므로 $\angle x=\angle APB=45°$

05 $\overarc{AB}=\overarc{BC}$이므로

$\angle x=\dfrac{1}{2}\angle AOB=30°$

06 $\overarc{AB}=\overarc{BC}$이므로

$\angle x=\dfrac{1}{2}\angle BOC=45°$

08 $2:3=26°:\angle x$ ∴ $\angle x=39°$

09 $2:3=28°:\angle x$ ∴ $\angle x=42°$

10 $1:2=20°:\angle x$ ∴ $\angle x=40°$

11 $1:4=15°:\angle x$ ∴ $\angle x=60°$

12 $1:3=25°:\angle x$ ∴ $\angle x=75°$

13 $3:2=60°:\angle x$ ∴ $\angle x=40°$

14 $1:2=25°:\angle x$ ∴ $\angle x=50°$

16 $\angle A=\dfrac{3}{1+3+5}\times180°=60°$

$\angle B=\dfrac{5}{1+3+5}\times180°=100°$

$\angle C=\dfrac{1}{1+3+5}\times180°=20°$

17 $\angle A=\dfrac{4}{3+4+5}\times180°=60°$

$\angle B=\dfrac{5}{3+4+5}\times180°=75°$

$\angle C=\dfrac{3}{3+4+5}\times180°=45°$

18 $\angle A=\dfrac{3}{4+3+2}\times180°=60°$

$\angle B=\dfrac{2}{4+3+2}\times180°=40°$

$\angle C = \dfrac{4}{4+3+2} \times 180° = 80°$

19 $\angle A = \dfrac{3}{7+3+2} \times 180° = 45°$

$\angle B = \dfrac{2}{7+3+2} \times 180° = 30°$

$\angle C = \dfrac{7}{7+3+2} \times 180° = 105°$

20 $\angle A = \dfrac{5}{4+5+6} \times 180° = 60°$

$\angle B = \dfrac{6}{4+5+6} \times 180° = 72°$

$\angle C = \dfrac{4}{4+5+6} \times 180° = 48°$

10. 네 점이 한 원 위에 있을 조건 — 원주각 (본문 62쪽)

12 삼각형의 한 외각의 크기는 두 내각의 크기의 합과 같으므로 $\angle B = 30°$이다.

$\angle x = \angle B = 30°$

14 $\angle BAC = \angle BDC = 85°$

$\therefore \angle x = 30° + 85° = 115°$

16 $\angle ADB = 55°$

$\angle x + 100° + 55° = 180°$

$\therefore \angle x = 25°$

11. 원에 내접하는 사각형의 성질
(본문 64쪽)

05 $\angle x = 180° - (30° + 55°) = 95°$

$\angle y = 180° - \angle x = 85°$

06 $\angle x = 180° - (50° + 60°) = 70°$

$\angle y = 180° - \angle x = 110°$

12 $45° + \angle x = 105°$ $\therefore \angle x = 60°$

13 $35° + \angle x = 75°$ $\therefore \angle x = 40°$

14 $35° + \angle x = 110°$ $\therefore \angle x = 75°$

12. 사각형이 원에 내접하기 위한 조건
(본문 66쪽)

08 $\angle x = 180° - 80° = 100°$

09 $\angle x = 180° - 115° = 65°$

10 $\angle x = 180° - 125° = 55°$

12 $\angle A + \angle C = 180°$이므로 $\angle x = 100°$

---

13 $\angle B + \angle D = 180°$이므로 $\angle x = 60°$

14 $\angle B + \angle D = 180°$이므로 $\angle x = 50°$

13. 접선과 현이 이루는 각 (본문 68쪽)

02 $\angle x = \angle BAT = 40°$

03 $\angle x = \angle CAT = 80°$

05 $\angle x = \angle BAT$
$= 180° - (45° + 30°) = 105°$

06 $\angle x = \angle CAT$
$= 180° - (80° + 40°) = 60°$

08 $\angle CBA = \angle CAT = 45°$이므로
$\angle x = 2\angle CBA = 2 \times 45° = 90°$

09 $\angle BCA = \angle BAT = 40°$이므로
$\angle x = 2\angle BCA = 2 \times 40° = 80°$

10 $\angle CBA = \angle CAT = 60°$이므로
$\angle x = 2\angle CBA = 2 \times 60° = 120°$

11 $\angle BCA = \angle BAT = 78°$이므로
$\angle x = 2\angle BCA = 2 \times 78° = 156°$

12 $\angle CBA = \angle CAT = 45°$이므로
$\angle x = 2\angle CBA = 2 \times 45° = 90°$

13 $\angle BCA = \angle BAT = 70°$이므로
$\angle x = 2\angle BCA = 2 \times 70° = 140°$

14 $\angle BCA = \angle BAT = 30°$이므로
$\angle x = 2\angle BCA = 2 \times 30° = 60°$

16 $\overline{AB}$가 원 O의 지름이므로
$\angle ATB = 90°$이고
$\angle ABT = \angle ATP = 24°$
$\triangle PBT$에서
$\angle x = 180° - \{24° + (24° + 90°)\}$
$= 42°$

17 $\overline{AB}$가 원 O의 지름이므로
$\angle ATB = 90°$이고
$\angle ABT = \angle ATP = 32°$
$\triangle PBT$에서
$\angle x = 180° - \{32° + (32° + 90°)\}$
$= 26°$

19

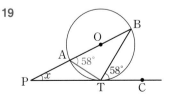

선분 AT를 그으면 $\angle ATB = 90°$
$\angle BTC = \angle BAT = 58°$
$\triangle PBT$에서
$\angle PBT = \angle ATP$

$= 180° - (90° + 58°) = 32°$
$\angle x + 32° = 58°$이므로 $\angle x = 26°$

20

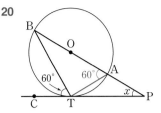

선분 AT를 그으면 $\angle ATB = 90°$
$\angle BTC = \angle BAT = 60°$
$\triangle PBT$에서
$\angle PBT = \angle ATP$
$= 180° - (60° + 90°) = 30°$
$\angle x + 30° = 60°$이므로 $\angle x = 30°$

14. 두 원에서 접선과 현이 이루는 각
(본문 71쪽)

02 $\angle x = \angle ATP = \angle CTQ$
$= \angle CDT = 58°$

03 $\angle x = \angle CTQ = \angle ATP$
$= \angle ABT = 60°$

05 $\angle x = \angle CDT = 58°$

06 $\angle x = \angle BAT = 55°$

⎰ Ⅲ. 통계 ⎱

01. 중앙값 (본문 76쪽)

08 크기순으로 나열하면 39, 43, 45, 56, 67이므로 중앙에 오는 중앙값은 45 kg이다.

10 크기순으로 나열하면 5, 7, 8, 10, 12, 15이므로 중앙값은 $\dfrac{8+10}{2} = 9$

11 크기순으로 나열하면 4, 4, 5, 7, 7, 8이므로 중앙값은 $\dfrac{5+7}{2} = 6$

12 크기순으로 나열하면 2, 4, 4, 6, 9, 10이므로 중앙값은 $\dfrac{4+6}{2} = 5$

13 크기순으로 나열하면 17, 31, 34, 36, 36, 37이므로 중앙값은 $\dfrac{34+36}{2} = 35$

15 $\dfrac{x+27}{2} = 23$ $\therefore x = 19$

16 $\dfrac{21+x}{2}=22$ $\therefore x=23$

17 $\dfrac{x+72}{2}=71$ $\therefore x=70$

02. 최빈값 (본문 78쪽)

06 도수가 가장 큰 값은 2와 4이므로 최빈값은 2, 4이다.

07 도수가 가장 큰 값은 1과 8이므로 최빈값은 1, 8이다.

08 자료의 도수가 모두 같으면 최빈값은 없다.

03. 평균 (본문 79쪽)

02 $\dfrac{10+20+70+80}{4}=\dfrac{180}{4}=45$

03 $\dfrac{1+4+8+10+11+14}{6}=\dfrac{48}{6}=8$

04 $\dfrac{20+30+40+50+60+70+80}{7}$
$=\dfrac{350}{7}=50$

05 $\dfrac{4+8+3+5+4+7+4}{7}=\dfrac{35}{7}=5$

06 $\dfrac{4+8+5+5+3+5+8+10}{8}$
$=\dfrac{48}{8}=6$

07 $\dfrac{5+6+7+5+10+6+1+2+3+5}{10}$
$=\dfrac{50}{10}=5$

09 $\dfrac{50+40+80+x}{4}=65$이므로
$170+x=260$ $\therefore x=90$

10 $\dfrac{8+6+2+x+5}{5}=5$이므로
$21+x=25$ $\therefore x=4$

11 $\dfrac{64+x+57+53+66}{5}=60$이므로
$240+x=300$ $\therefore x=60$

12 $\dfrac{23+26+32+x+29}{5}=28$이므로
$110+x=140$ $\therefore x=30$

13 $\dfrac{35+x+25+34+29}{5}=30$이므로
$123+x=150$ $\therefore x=27$

14 $\dfrac{x+5+4+1+3+2}{6}=4$이므로
$15+x=24$ $\therefore x=9$

15 $\dfrac{9+2+8+x+9+4+8+7}{8}=6$
이므로
$47+x=48$ $\therefore x=1$

17 a, b의 평균이 5이므로
$\dfrac{a+b}{2}=5$ $\therefore a+b=10$
따라서 8, a, 6, b의 평균은
$\dfrac{8+a+6+b}{4}=\dfrac{10+14}{4}=6$

19 x, y, z의 평균이 6이므로
$\dfrac{x+y+z}{3}=6$ $\therefore x+y+z=18$
따라서 8, x, y, z, 2의 평균은
$\dfrac{8+x+y+z+2}{5}=\dfrac{10+18}{5}=5.6$

20 x, y, z의 평균이 6이므로
$\dfrac{x+y+z}{3}=6$ $\therefore x+y+z=18$
따라서 x, y, z, 9, 7, 8의 평균은
$\dfrac{x+y+z+9+7+8}{6}=\dfrac{18+24}{6}=7$

21 x, y, z의 평균이 6이므로
$\dfrac{x+y+z}{3}=6$ $\therefore x+y+z=18$
따라서 $3x+3$, $3y+2$, $3z+1$의 평균은
$\dfrac{3(x+y+z+2)}{3}=x+y+z+2$
$=20$

04. 편차 (본문 82쪽)

09 (평균)$=\dfrac{15+65+80+40}{4}=\dfrac{200}{4}$
$=50$이므로
$a=15-50=-35$

10 (평균)$=\dfrac{8+4+1+7+5}{5}=\dfrac{25}{5}=5$
이므로
$a=1-5=-4$

11 (평균)$=\dfrac{25+16+35+64+10}{5}$
$=\dfrac{150}{5}=30$이므로
$a=64-30=34$

13 (평균)$=\dfrac{12+15+17+18+13}{5}$
$=\dfrac{75}{5}=15$이므로
(편차)$=$(변량)$-$(평균)임을 이용하면

-3, 0, 2, 3, -2

14 (평균)$=\dfrac{35+46+44+25+50}{5}$
$=\dfrac{200}{5}=40$이므로
(편차)$=$(변량)$-$(평균)임을 이용하면
-5, 6, 4, -15, 10

15 (평균)$=\dfrac{36+48+32+24+35+5}{6}$
$=\dfrac{180}{6}=30$이므로
(편차)$=$(변량)$-$(평균)임을 이용하면
6, 18, 2, -6, 5, -25

17 $1+2+a+3=0$
$\therefore a=-6$

18 $a-5+2-3=0$
$\therefore a=6$

19 $-3+20-12+a=0$
$\therefore a=-5$

20 $-3+5+a+2-4=0$
$\therefore a=0$

21 $3+a-2+5-1=0$
$\therefore a=-5$

22 $-3+7-6+4+a+2=0$
$\therefore a=-4$

23 $a-20+10+9-7+5=0$
$\therefore a=3$

24 $5+7-12+1+a=0$
$a=-1$

05. 분산과 표준편차 (본문 85쪽)

02 (1) $2^2+0^2+2^2+(-4)^2=24$
(2) (분산)$=\dfrac{24}{4}=6$
(3) (표준편차)$=\sqrt{6}$

03 (1) $6^2+(-1)^2+(-3)^2+0^2+(-2)^2$
$=50$
(2) (분산)$=\dfrac{50}{5}=10$
(3) (표준편차)$=\sqrt{10}$

04 (1) $4^2+(-2)^2+(-2)^2+(-4)^2$
$+2^2+2^2=48$
(2) (분산)$=\dfrac{48}{6}=8$
(3) (표준편차)$=\sqrt{8}=2\sqrt{2}$

06 (1) $-2+0+a+4=0$
$\therefore a=-2$
(2) $(-2)^2+0^2+(-2)^2+4^2=24$

(3) $(분산)=\dfrac{24}{4}=6$

(4) $(표준편차)=\sqrt{6}$

07 (1) $5+a-3+1-2=0$

$\therefore a=-1$

(2) $5^2+(-1)^2+(-3)^2+1^2+(-2)^2$
$=40$

(3) $(분산)=\dfrac{40}{5}=8$

(4) $(표준편차)=\sqrt{8}=2\sqrt{2}$

08 (1) $2-4-1-2+a+4=0$

$\therefore a=1$

(2) $2^2+(-4)^2+(-1)^2+(-2)^2$
$+1^2+4^2=42$

(3) $(분산)=\dfrac{42}{6}=7$

(4) $(표준편차)=\sqrt{7}$

09 $-1+x+6+3-7=0,\ x=-1$

$\therefore (학생 B의 몸무게)=49(\text{kg})$

$\{(편차)^2의 총합\}$
$=1+1+36+9+49=96$

$(분산)=\dfrac{96}{5}$

$(표준편차)=\dfrac{4\sqrt{30}}{5}\ (\text{kg})$

11 (1) $(평균)=\dfrac{12+13+15+16+19}{5}$

$=\dfrac{75}{5}=15$

(2) $(분산)=\dfrac{1}{5}\{(12-15)^2$
$+(13-15)^2+(15-15)^2$
$+(16-15)^2+(19-15)^2\}$
$=\dfrac{30}{5}=6$

(3) $(표준편차)=\sqrt{6}$

12 (1) $(평균)=\dfrac{27+33+29+31+20}{5}$

$=\dfrac{140}{5}=28$

(2) $(분산)=\dfrac{1}{5}\{(27-28)^2$
$+(33-28)^2+(29-28)^2$
$+(31-28)^2+(20-28)^2\}$
$=\dfrac{100}{5}=20$

(3) $(표준편차)=\sqrt{20}=2\sqrt{5}$

13 (1) $(평균)$
$=\dfrac{7+8+9+10+11+12+13}{7}$
$=\dfrac{70}{7}=10$

(2) $(분산)=\dfrac{1}{7}\{(7-10)^2+(8-10)^2$

$+(9-10)^2+(10-10)^2$
$+(11-10)^2+(12-10)^2$
$+(13-10)^2\}$
$=\dfrac{28}{7}=4$

(3) $(표준편차)=\sqrt{4}=2$

14 $(평균)=\dfrac{4x}{4}=x$

$(분산)=\dfrac{(-4)^2+(-1)^2+4^2+1^2}{4}$

$=\dfrac{17}{2}$

$\therefore (표준편차)=\dfrac{\sqrt{34}}{2}$

16 평균이 12이므로

$\dfrac{9+15+x+13+11}{5}=\dfrac{x+48}{5}=12$

$\therefore x=12$

$(분산)=\dfrac{1}{5}\{(9-12)^2+(15-12)^2$
$+(12-12)^2+(13-12)^2$
$+(11-12)^2\}$
$=\dfrac{20}{5}=4$

$(표준편차)=\sqrt{4}=2$

17 평균이 15이므로

$\dfrac{x+20+16+18+7}{5}=\dfrac{x+61}{5}=15$

$\therefore x=14$

$(분산)=\dfrac{1}{5}\{(14-15)^2+(20-15)^2$
$+(16-15)^2+(18-15)^2$
$+(7-15)^2\}$
$=\dfrac{100}{5}=20$

$(표준편차)=\sqrt{20}=2\sqrt{5}$

18 자료의 대푯값으로는 평균, 중앙값, 최빈값 등이 있다.

19 편차의 제곱의 평균, 즉 편차의 제곱의 합을 전체 도수로 나눈 것이 분산이다.

20 편차의 총합은 항상 0이다.

21 $(편차)=(변량)-(평균)이다.$

23 표준편차는 분산의 음이 아닌 제곱근이다.

24 자료의 분산 또는 표준편차가 작을수록 자료가 평균을 중심으로 몰려 있음을 뜻한다.

---

06. 산점도 (본문 89쪽)

04
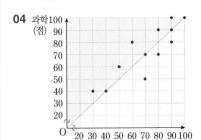

(그림 참고)

과학>수학인 부분은 색칠된 부분이므로 5명

[06~09] (그림 참고)

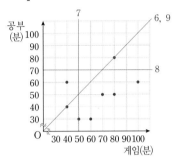

06 대각선을 그어 $y>x$인 것을 찾는다.

07 $x\geq 50$인 것을 찾는다.

08 $y<70$인 것을 찾는다.

09 대각선과 일치하는 좌표의 개수는 2개이다.

그러므로 $\dfrac{2}{8}\times 100=25(\%)$

11
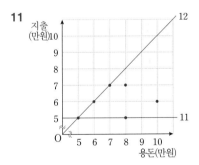

12 11번 (그림 참고)

13 $\dfrac{지출액}{용돈}$이 가장 작은 것은 $\dfrac{6}{10}$이므로 10만원

14 $\dfrac{3}{6}\times 100=50\ (\%)$

16 $\dfrac{2}{5}\times 100=40\ (\%)$

17 $\dfrac{3}{5}\times 100=60\ (\%)$

[18~19] (그림 참고)

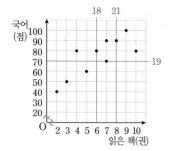

18 (그림 참고)

19 (그림 참고)

21 $\dfrac{3}{10}\times100=30\,(\%)$

22 $\dfrac{7}{10}\times100=70\,(\%)$

23
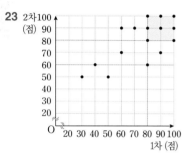

(1) $\dfrac{8}{16}\times100=50\,(\%)$

(2) $\dfrac{30+40+50+80}{4}$
$=\dfrac{200}{4}=50\,(점)$

07. 산점도와 상관관계 (본문 92쪽)

16 $\dfrac{3}{10}\times100=30\,(\%)$

17 $\dfrac{7}{10}\times100=70\,(\%)$

20 $\dfrac{4+5+6+7+7+8+9+10}{8}$
$=\dfrac{56}{8}=7\,(권)$

[24~28]

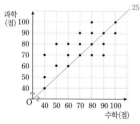

26 $\dfrac{10}{20}\times100=50\,(\%)$

27 $(40,\,50),\,(50,\,60),\,(60,\,70),$
$(70,\,80),\,(80,\,70),\,(80,\,90),$
$(90,\,80),\,(100,\,90)$

28 $\dfrac{8}{20}\times100=40\,(\%)$

29 ③ 키가 165 cm 이하인 학생의 수는
10명이므로 전체 학생 수의 50 %

④ $\dfrac{13}{20}\times100=65\,(\%)$

⑤ $\dfrac{50+(55\times2)+60+(65\times4)+(70\times2)}{10}$
$=\dfrac{620}{10}=62\,(kg)$